TaKuXi 愛去哪位

客語計程車私房旅遊書

本出版品獲（112年）文化部「語言友善環境及創作應用與推廣計畫」補助

目錄

你愛去哪位？（ngiˇ oi hi nai vi? ）

文 / 周得豪

小的時候，大約 1990 年代左右，其實對計程車司機的印象沒有很好。依稀還記得曾經發生過很嚴重的計程車暴動事件，「決戰福和橋」這樣的印象經過近 30 年也成為某些族群中的都市傳說了。還好現在網路資訊搜尋方便，很快地早期各種有關計程車的記憶也一一浮現，熱衷於政治話題、相較底層更生背景、開車不守交通規矩等，這些偏負面的印象大概是現今中年以上族群深刻的記憶。

但另方面，因家人老家、親友居住在沿著臺三線的新竹縣、苗栗縣關係，也會看到不同面向的計程車司機，是一種如同家中長輩朋友一般的親近、純樸的感覺。在許多交通、公共運輸沒有這麼便利的鄉村、小鎮，計程車司機就像連結著家人、親友往來的重要友人。至今仍有許多長輩們習慣找熟識的白牌車司機，也是有這一層原因。

時代的變化

《TaKuXi 愛去哪位》是一個客語計程車司機的私房旅遊書，實際上更像這些客語計程車司機們的旅遊散文和生命故事的集結，從他們的視角重新認識了一個地方的特質和慣習。回應到當代資訊取得的便利性，每個地方不管是好吃的排隊名店、知名旅遊景點、旅遊／飲食評價等，都可以輕易從網路上獲取，這或是一種單向且容易形塑出一個地方刻板印象的方式，我們很容易了解各個單點的資訊，卻忽略了點跟點連結起的線，還有線與線連結起的面，而這個「面」就是一個地方日常文化的氛圍、氣息、韻律與節奏的生活感。

資訊時代的差異，推動這些計程車司機們的進化，尤其是近年興起的計程車「地方導覽」，更補足了缺乏個人交通工具的旅遊散客，能深入前往鄰近鄉野景點，從司機的視角探詢及遊歷客庄美食、景點，體驗在地的獨特客家旅遊。時代的變化在網路資訊和親身遊歷之間產生了拉扯，客語計程車司機讓人重拾且拉近了彼此與客語、客家的距離。

母語的流失與復振

「為什麼是客語？」

這是許多人在得知「客語」計程車司機的出版計畫時，時常會出現的疑問。除了本身是客家人之外，也有受到近年國家語言政策的影響，了解到臺灣各種母語在推廣上的困難，甚至在我們這樣的中生代裡，大多數人都已經對自己的母語文化感到陌生和遺忘。而在客語的出版品中，以公部門、各縣市客家文化基金會的出版為大宗，並且高度著重在知識性及教育性的主軸，但這一類的出版品幾乎從未在出版市場中流通。

據研究調查，全臺客家族群人口約近 470 萬人，在客語的「聽辨」能力上，29 歲以下的青少年族群有 50% 以上無法聽懂，甚至在 18 歲以下更有 70% 以上；而在客語的「口說」能力上，29 歲以下的青少年族群有高達 75%~80% 不會說客語。我相信真實情況應該更為嚴峻。

這就是團隊注意到客委會推動客庄旅行遊程和客語使用的沉浸環境政策的背後原因。而此政策還培訓了以桃竹苗地區為主的客語友善計程車服務，在高鐵、台鐵或捷運等交通和人潮聚集的地方，都可以發現貼有「**𠊎講客**」貼紙的計程車。

這些「**𠊎講客**」的客語計程車司機們，也許就是讓大眾可以了解客家語言、客庄文化，並從不同的視角拉近與客語、客家的距離最好的角色。我們期望從司機執業過程與日常生活的小故事中，將私人的口袋旅遊路線、載客故事、學習客語的經歷，編寫成獨特的旅遊散文記事。重要是，這也是相對更生活化與大眾化可以接觸到客語的方式。

看見彼此的生命與地域故事

我們在這些客語計程車司機的故事中看見了什麼呢？

有趣的是，司機的許多視角顛覆或直觀的述說了一個地方的文化特質，有一位帶有書卷氣質司機，與我們分享載著各國旅客進行地方導覽的趣事，還提到了臺三線週邊很老牌的遊樂園景點，甚至有的早已閉園，但這些卻是桃竹苗客家人深刻的旅遊記憶；還有一位可堪稱車行顏值擔當的年輕女性客語計程車司機，有別於許多在新竹高鐵站排班的司機們，多以科學園區商務載客的經驗為主，還更多了一層發現竹科新貴婦女們下午茶時光的多彩繽紛，反映在竹北興起的眾多網美咖啡廳之中；一位現在已經當了爺爺的司機，則從中壢夜晚搭載前往或從酒店離開的乘客們的經驗，背後反映了多元混雜的中壢市區，可有著相當密集的酒店文化與異國按摩行業的聚集。

計程車司機的視角彷彿帶著我們看見一個地方的變遷與百態生活的樣貌，這是如此真實與誠實的世界。跳脫了現代網路資訊介紹的修飾、美化與刻板印象，持續不間斷的往返與連結著現今疏離社會的各個節點。

「你愛去哪位呢？（ngiˇ oi hi nai vi? ）」

一起搭乘這趟計程車之旅，駛向未知的旅程吧。

中壢車站 Zhongli Station
中壢車站
1506
1897

第一章
桃園計程車司機

桃園的人口組成也非常豐富，有全國最多的客家族群、也有為數眾多的眷村外省住民、閩南族群和全國人數第四多的新移民，近幾年也增加了非常多自臺北市、新北市移居到桃園的人口，這都是造就桃園多元、繽紛特質的因素。

鑒於桃園的城鄉特性、人口組成和公共建設，再加上資訊科技的快速發展，桃園擁有全國最優秀的計程車司機，往返機場、高鐵及臺北的生活圈；也有隨著市鎮聚落區域劃分而起的車隊，如都會、舊城中心的桃園區與中壢區，銜接新竹與中壢的楊梅新市鎮，臺三線桃園區段最大聚落的龍潭區；還有更多是白牌計程車的蓬勃發展，早期從熟人、親友的生活圈中開始興起的白牌車，也進入了善用各類社群軟體叫車的新興服務。這些遊走在法律邊緣的計程車司機，仍是這數十年來桃園人習慣叫車的一種方式。

桃園豐富多元的計程車型態，從最優秀的計程車到具有爭議性的白牌計程車，這些都形塑了桃園計程車司機的樣貌與地

域特色。無論如何，還是希望民眾可以慎選合法或多元車隊的計程車會更有安全保障。

桃園計程車隊：

（一）中園計程汽車股份有限公司（大文山衛星派遣車隊）

（二）台灣大車隊股份有限公司

（三）大都會衛星車隊股份有限公司

從喜歡到必須喜歡，為了更長遠的生活而努力——吳上昇

文 / 編輯室

跑車地區：桃園龍潭

客語腔調：四縣

車　　行：大都會計程車行

計程車資歷：26年

從不喜歡到必須喜歡上這個職業

吳大哥是這次訪談中，以計程車作為職業資歷最久的一位，將近 30年。

「這一切都是為了生活」

吳大哥年輕的時候，如同每個世代的青年一樣，對未來總懷抱著美好的夢想，不管是開店、合股投資生意都有做過，但是做生意並未如想像般容易。生意失敗了也沒有放棄，試著從傳統產業工廠工作中試圖再起，從作業主管、鍋爐主管的經歷到堆高機證照的考取，一路非常的努力。可是傳統產業的薪資不高、沒辦法加薪，結婚之後又有了三個小孩，還是要想辦法過日子，只能認真持續去工作，最後才轉行開始跑計程車。

二、三十年前很少有像吳大哥這樣的年輕人開計程車。那時候會因為年輕、體力好，為了想要賺更多錢，跑（車）累了就直接睡在車上，睡飽再起來跑車。以前龍潭的桃園客運站，在客運的旁邊會有給員工洗澡的地方，計程車司機們也一起在那裡洗澡，因為天天都在客運站排班，大家彼此都認識，就睜一隻眼閉一隻眼讓計程車司機可以偷偷去洗澡。

對吳大哥來說，計程車司機的主要工作除了載客還是載客，沒有其他了。他認為投入在這個行業的人，必須要能夠獨自忍受孤單和孤獨，雖然比起其他工作會比較辛苦，但所有的努力只要可以讓收入多賺一點點錢，能夠養家糊口就夠了。這都是為了生活。

早期跑計程車一天工作時長大約十五、十六個小時，甚至也會跑到十八、九個小時，幾乎沒有休息時間，除非真的很累了就在路邊稍微休息一下，也許半小時、一小時，連回家的時間都沒有。

比起其他人付出了更多的時間，吳大哥深知走入這一行的辛苦，也直白地說自己其實並不喜歡這個職業與行業，也不希望自己的孩子從事計程車司機的工作。但為了生活的責任心，讓吳大哥必須要喜歡上這個職業與行業，這樣才有辦法把服務

乘客的各方面都做好，工作也才會開心。

國際旅客的地方導覽

吳大哥的跑車據點以桃園市龍潭區為中心，並在很年輕的時候就有接待國外乘客的經驗。當時中華映管（簡稱華映）在桃園龍潭建廠（從映像管改成面板時期），這是一間世界最重要也曾是最大的顯示器製造廠和面板五虎之一，巔峰時期員工數高達上萬人。

因為華映工廠的擴建，有很多日本人、韓國人來到臺灣談生意，有的人選擇住在臺北或新竹，所以每天都要載著這些商務客上下班，或是從機場包車接送、來回跑。這些國外商務客來到臺灣，也會想在休假日走訪景點、認識這個地方，從九份、金瓜石再到知名的大景點如中正紀念堂、國父紀念館、慈湖等地方，吳大哥開始慢慢累積起乘客間的評價，才逐漸開始有配合飯店的包車旅遊，由飯店提供國外的觀光客客人，像是新加坡、馬來西亞或香港的旅客都曾遇到過。

除了前面提到的大景點之外，吳大哥還會帶這些國外旅客去一些在書上、網路上沒有介紹過的小景點，如陰陽海、煉銅廠等，依照不同路線的行程，若有額外知道的景點就會帶著他們去嘗鮮。一般外國遊客知道的景點資訊，都是比較大的景點才會搜尋得到，其他在地的小景點就要仰賴計程車司機的功力了。

既做服務也做口碑的吳大哥，會有許多國外旅客好康道相報，除了自己來臺灣一定會找吳大哥之外，還會介紹更多朋友來臺灣時的包車服務。當然也幸好，這些國外旅人多是以華僑為主，在語言上還可以暢通無阻。

而且在印尼、馬來西亞也有很多客家人，當他們知道司機會說客家話的時候，就會有一種很親切的感覺，在乘車沿途使用客家話聊天，像是在他鄉遇故知一般放鬆且充滿了趣味。

不同時代載客的旅遊差異

二十六年的計程車司機資歷，有許多載客經驗會隨著時代

TDB-2297

廣告出租
0926-777261
大東海
M
合作大都會
塑腳石生活館
塑腳石
生活館

往新興路
To Xinxing
計程車招呼站
桃園市政府
TAXI
TAXI STATION

演變而有些許差異。特別的是，吳大哥分享了許多五、六年級和七年級前段班的人一定會有印象的私房旅遊景點，像是龍溪花園、童話世界、亞洲樂園等等，在 80到 90年代期間可說是最熱門流行的遊樂園。

也有像石門水庫、阿姆坪、六福村和小人國這幾個景點是歷久不衰，在不同季節也會有各異的風貌。到了近代還增加了像大平洪橋、三坑自然生態公園、三坑老街或客家文化館，對不同年齡層的旅客來說增加了更多選擇。而吳大哥除了會陪著客人走行程之外，也會要充當攝影師為乘客拍照、留下美好的回憶。

在這三年的疫情期間，計程車司機受到很大的影響，光吳大哥身邊就好多位計程車司機轉職，生活形態上的改變直到現在仍深刻影響著每個人。也許是從年輕時就一路辛苦到現在，吳大哥仍是苦撐到疫情結束，才能慢慢回到接近原本的生活與收入。

吳大哥的計程車職涯就像是時代的縮影一般，從經濟起飛帶來的載客紅利，到熱門遊樂園關閉、新的景點崛起與疫情的衝擊，雖然吳大哥總玩笑地說這份工作很孤單，到哪都是一個人，有時陪乘客走走，有時陪著客人聊天互動，偶而也主動幫乘客解決問題，但也許這是一種既孤單但也不孤單的感受吧。

休息是為了走更長遠的路

搭載過各形各色乘客的吳大哥，曾經遇過喝醉酒的客人、客人說下車取錢就沒有再回來、要去毒品交易的客人，甚至還有包車要去抓姦老公出軌的客人，每一次都像是個小型電影劇集般，從過程中也學習到謹慎與豁達的人生態度。

長期開計程車是個很容易會讓人感到疲憊的工作，特別像吳大哥這樣每天長時間的載客。在這些一個人的時候，吳大哥最常想起的是家人。也是為了家人，所以一定會保護自己不能出任何問題，這是吳大哥最常對自己的警惕。開車累了就要稍作休息，不管是去 7-11、休息站還是在路邊休息、睡一下覺，

都是讓自己能夠走得更長遠的不二法門。

或許是吳大哥的人生閱歷豐富，散發出的氣場總讓人感到正面與樂觀，但對於客語的傳承仍會有些感概。因為現在的年輕人都不說客家話了，學校也不太教孩子。反而是在載客過程中，有更多與長輩用客語互動聊天的過程最感到親切。「客家話是很柔很好聽的語言阿～」吳大哥如是說。

也許對於客語的傳承與學習，除了不斷努力推動之外，適度的休息一下再出發，也會看到一番新的風景也說不定。

家庭比工作還重要！重視家庭生活的司機爺爺——葉佳德

文 / 編輯室

跑車地區：桃園龍潭

客語腔調：海陸、四縣

車　　行：大都會計程車

計程車資歷：10年

重視家庭觀念的司機爺爺

很多客家人都很隱性，若不主動說出自己會說客語，一般人還真不容易察覺，甚至有的人臺語講得比客語還要好。但是葉大哥就是非常典型的客語人，口音一聽就知道是客家人，所以聽得懂也會說客語的客家人都會主動跟葉大哥聊天，就從「你客家人嗎？哪裡人？（ngi hag ngin mo? na`viˇ ngin? ）」、「我在龍潭哪裡（ngaiˇ di liungˇtamˇ ge vi）」，開啟非常道地且全客語的交流。

在還沒開計程車之前，葉大哥十多年都在貨運公司開貨車送貨。當貨車司機其實很無聊，不會有任何聊天對象，就只能從公司等待送貨單，單子來了就開著貨車送給客戶，如果沒有送貨單的時候，只有坐著等待，有時一等就好幾個小時，哪裡都不能去。

直到有次開同學會的時候，同學分享自己在開計程車的經驗，葉大哥聽起來才發現原來開計程車收入比貨車還要好，而且一樣都是開車，但開計程車比開貨車要來的更自由。一個人送貨沒有聊天對象很無聊，但開計程車還可以跟客人聊天。起心動念想著就開始付諸行動，沒想到就這樣考上了計程車執業登記證，而且還有兩、三個同學也在開計程車作伴，就此離開了原本的送貨司機身分，轉開計程車了。

葉大哥的司機生活從貨車轉變為計程車，多了很多彈性時間。每天第一個搭乘的乘客就是自己的寶貝孫子，配合著孫子的上課與下課時間，葉大哥開計程車的範圍大多在龍潭週邊的生活圈，不會像其他司機會為了賺取更多收入而跑跨縣市或長程的包車旅遊行程。

夜間搭乘的另類風景

葉大哥主要的跑車據點在龍潭、中壢、桃園一帶，最遠就是到臺北。因為是多元化計程車的關係，所以在中壢火車站或是鄰近公園附近，等待衛星派遣或 App叫車最方便。但因為還要載小孩的因素，遇到包車就是半天或一天內一定會結束行程。

在中壢、龍潭的載乘經驗，一般是以上下班時間的商務客最多，其他像是去傳統市場、去醫院的多是些老人家，比較特別是白天會有很多高職學生會叫車通勤，像是育達商職、治平高中、永平工商、新生醫校等，三、四個同學一起分擔車費也滿節省的。如果遇到來到來遊玩的旅客，大多則是搭乘公車到龍潭之後，再轉搭計程車去六福村、埔心牧場或石門水庫這類的熱門景點。

也許是因為載客生活圈較固定的關係，從中壢開往龍潭這段路途，會與許多常坐計程車的民眾成為好朋友。又或許早已是爺爺身分的葉大哥，容易帶給乘客很好親近的感受，而且又會說客語，就成為很多同樣已是長輩們傾訴生活瑣事的對象。不管是孩子不願意跟老人家一起住、嫌長輩嘮叨等話題，都特別容易產生共鳴。這就是葉大哥轉作計程車司機生活中，最大的改變與樂趣了吧。

中壢、桃園還有個獨特的都市風景，就是八大行業很多。

NO SMOKING WITHIN RED LINES

福隆
Your "motorcycle, Mini electric two-wheel vehicle" Are you insured?
福隆
中平商圈
假期HOTEL
1981 CaFe
CÀ PHÊ BAO CẤP
VINTAGE COFFEE
↑3F
1981 CAFE
CÓ THANG MÁY LÊN TẦNG 3
Cà phê bao cấp
1981 CaFe
1981 CaFe
VINTAGE COFFEE
CÀ PHÊ BAO CẤP
↑3F
trứng

若有在晚上載客，很常會遇到往返酒店的乘客，葉大哥說這跟酒駕取締有關係，現在越來越多人注重交通安全，政府取締很嚴格，罰則也越來越重，這就讓許多計程車司機有了增加更多收入的機會了。

會去酒店的乘客各形各色，當然也不會限客家人、閩南人或外省人了。有趣的事就在去酒店消費的客語會說什麼？又該怎麼說呢？或許天底下的男人都是一個模樣，諸如「今天一定要喝到醉！」、「女生要漂亮的，要會玩」、「你有認識的小姐嗎？」這些在路程中就會在車上先討論一番。

當然，葉大哥是個注重家庭生活的爺爺，工作與家庭間的衡量會以家庭為重。當遇到比較好的客人，對方會主動給小費，遇到比較不好的客人，也是秉持顧客至上的想法，不會多去爭執、回應或介入，能夠每天平安回家跟孫子玩樂，陪伴在家人身邊才是葉大哥真正的生活重心。

對客語學習環境的關懷

十位乘客中有九個乘客一聽到葉大哥說話，就會好奇問葉大哥是不是客家人？即便對方不是客家人，但也都聽得懂葉大哥的客語腔。一般人大多會覺得客語的四縣腔跟海陸腔差不多，有很多桃園、新竹的客家人都可以將這兩種腔調轉換自如。其他像苗栗、高雄美濃、臺中東勢的客家話又會有些許不同，但對葉大哥來說，雖然不同地區的腔調會有一點差別，可也算是大同小異，都能夠聽得懂。

即便葉大哥的客家話已經是非常道地的了，也會對客語的傳承感到擔心。因為就連自己家裡的小孩，在家也不太會說客語，有時候明明知道孩子聽得懂，但卻用國語來回話，世代間的隔閡還是存在著。所以葉大哥只能維持盡量跟小孩講客家話，希望把客家文化傳承下去。也許有一天孫子們長大了，會回頭理解當時爺爺的用心。

從貨運公司開貨車轉職到當計程車司機，葉大哥覺得這是

自己滿喜歡的轉變。計程車司機遇見的乘客什麼模樣都有，如果客人要去某個地方是自己沒有去過的，因此有了新的路程經驗，下次客人若要到同樣的地方，就不用依靠導航，自己也能將乘客送到目的地。這樣持續接觸不同的新乘客，駛向每個過去未曾去過的地方，對葉大哥來說就是最大的滿足與樂趣。

TAXI
COROLLA ALTIS
210-9E
210-9E

BAKSO BLITAR
當心行人
TAXI
1506

日久他鄉，深根入心田——李鴻鑫

文 / 張簡敏希

跑車地區：桃園中壢　　車　　行：無

客語腔調：海陸、四縣　　計程車資歷：11年

始於一趟滿足味蕾的行程

中壢火車站外，人潮熙來攘往，異國身影與面孔穿梭其中，可與臺北車站不同的是，在北車，東南亞移工和新住民們猶如向內被包覆於巨大的建築，跟地下街系統內，而於中壢火車站則是放射性的向外延伸，不只是大家熟知的中平路商圈，向中和路兩側以及後站周圍漫步，皆佈滿了各個東南亞國家的餐館、小吃攤、雜貨店，是旅客出遊前先小小果腹的最佳選擇。

前站有知名排隊臺式點心「一心蔥油餅」，後站有「Martabak Manis 89 Asli Bangka」販售印尼麥餅，臺灣也有類似的傳統糕點，常見紅豆與花生口味，外皮酥脆，內餡柔軟香甜，而在「Martabak Manis 89 Asli Bangka」則能嚐到內餡加入了東南亞風味的食材，如香蕉、椰子、香蘭葉，讓各地思念家鄉味的移工和新住民們都慕名而來解解饞。

用甜味十足的印尼麥餅為行程開啟一個美好的開端後，要帶大家走入桃園這個融合多元族群的縣市，這次的領路人是在中壢生活了 30-40年的計程車司機—李鴻鑫大哥。

循著在地人的客家味前進

一戶人家一種味道，同樣的客家美食在不同地區，多少都會帶有些許當地特色，是否地道全要仰賴在地人或久居於此的住民的味蕾，從中壢出發，讓我們跟著李大哥的舌頭一同探尋在地好味道。

官路缺鴨肉店

李大哥說：「這裡比較少人吃雞盤，很多都是吃鴨肉與鵝肉。」

提到客家菜，李大哥馬上想到了位於平鎮的名店「官路缺鴨肉店」，是他個人平日常吃的口袋名單，這間有超過五十年歷史的餐廳是許多在地人聚餐、宴客的首選，因物美價廉而聞名。來到此絕對不能不點一盤此店的招牌「鴨肉」，口感厚實、軟嫩，不乾不柴，很好入口，鴨肉本身帶有鹹味，但也可以搭配店家提供的醬汁，醬油、蔥、辣椒混合，帶著淡淡鹹香，微辣開胃，光是如此便能讓人食指大動，多吃幾碗飯。

除了鴨盤外，也推薦大家點幾道來到客家庄必吃的客家菜，如薑絲炒大腸與客家小炒，這兩道菜皆很講究火候的掌控，薑絲炒大腸要酸而不嗆鼻，客家小炒則需鹹香到位，補滿每口白飯在嘴裡的空缺。

新屋建業鵝肉美食館

新屋鵝肉遠近馳名，「新屋鵝肉店有好幾家，新屋就出產鵝肉。」李大哥說話的同時，臉上露出了認真的神情，彷彿來到桃園就千萬不能錯過鵝肉似的，其中「新屋建業鵝肉美食館」是李大哥大推的其中一間餐廳。一走進「新屋建業鵝肉美食館」便能看見牆上掛滿了牌匾，餐廳老闆曾於 2013年榮獲十大神農獎，偌大的匾額上寫著「養鵝達人」四個大字，店內所有的鵝都是老闆自己養的，每隻都養得圓滾滾的，肉質更是鮮嫩肥美。除了鵝肉外，也推薦大家能點客家燜筍與米篩目，份量皆很足，很適合與三五好友一起來訪。

另外，用餐前不妨先到「新屋綠色自行車步道」走走，邊

TAXI
2178
2178
2178
0578

運動邊欣賞沿途景致。「新屋建業鵝肉美食館」雖然有停車場，但用餐時間常常一位難求，搭乘計程車前來便能免去尋找或等待車位的問題了。

在山與樹林之間放鬆身心

李大哥說桃園是個很適合旅遊的地方，到蘆竹、大園、觀音、新屋能看海、吃海鮮，一路往東走、往內陸靠近便是拉拉山，優美的山間風光搭配山產料理，滿足口腹之餘，還能淨化身心靈，若是一日遊，山與海之間可擇一前往。

慈湖陵寢是先總統蔣介石先生長眠之地，此地四面環山，2023年園內分階段進行更新與優化，日後將能看到園區內有更多植栽、花卉，於四季造訪皆有不同的感受。這裡的步道平緩，生態豐富，適合一家大小共同造訪，孩子能在這觀察不同的動、植物，並盡情的放電。

車子再往裡開，便是拉拉山與小烏來，李大哥開啟了話匣子，如數家珍般地說道：「推薦去拉拉山、小烏來那邊，那裡

ELEVEN
洗
行人請改行
對向人行道
出租汽車
出租汽車
出租汽車
出租汽車

健行路
Jianxing Rd.
Hát Với Nhau
出租汽車
1506
TDY·1100

比較涼爽，風景也優美。……拉拉山到小烏來路邊有很多休息站賣吃的，也有客家料理，那裡也有客家人，他們賣水粄、焢菜，什麼都有！拉拉山有水蜜桃，不是產季的時候，也能去看風景、看神木，享受森林浴。上巴陵、下巴陵的風景都很美。」

沿著北橫公路一路順行，會建議大家在枕頭山魅力商圈歇歇腳，小小的商圈有販售蔬果、山產料理和小吃，品項多元豐富。許多遊客會選擇到大溪喝茶，尤其大溪老茶廠擁有悠久的歷史背景，是品茶與認識早期茶產業過往的好去處，可這裡要推薦大家到枕頭山魅力商圈內的「葉家千金」，一進入店裡便能看到兩壺推薦茶品供遊客試喝，店家分為兩個區塊，一半展售茶葉，能選購適合的伴手禮，另一側是用餐區，供應咖啡、茶品和甜點，環境清幽，坐在任何一個座位皆能感受到氣氛中帶有的清閒優雅，外帶冷泡茶時，店家還不忘送一顆茶糖，茶糖入口，茶香於口中四溢，甜味也漸漸擴散開來，為人帶來好心情。

退而不休，為生活找到新的動力

與多數苗栗鄉村的學子一樣，需於求學階段離鄉漂往他鄉，李大哥在民國 60多年時，搬到桃園就讀大專，在打工的地方認識了想廝守終身的另一半，兩人愛情長跑幾十年，如今結婚數十載，兩人仍相當甜蜜。採訪當天，李大哥與夫人一同前來，李太太多數時候只是默默於一旁聽著先生聊天，偶爾協助補充兩句，也是用客語應答，問起李大哥怎麼會想從事開計程車這一行時，他害羞地回道：「比較自由，沒有生意、閒暇的時候，就載著太太到處去走走，想去哪都可以自由行，家裡也照顧得到，工廠有什麼事要請假，但這不用請假，有事就回家。」李太太也害羞地伸手摸摸李大哥的耳朵，然後說：「他是一個很老實的人。」

李大哥原在中華電信做承包商的工作，一做就是將近30年，直到退休，十年前開始開計程車，直到現在，「一開始鄰居有好幾個都在開計程車，有興趣就也跟著他們開計程車，我們都住在士校那裡。」他一邊回憶一邊說。

提到開計程車最讓人有成就感的地方，他大聲說：「開計程車讓我認識很多人，各式各樣的人都認識，然後跑的地方較多，就見多識廣。」但每當想起從事這行最特殊的經歷時，李大哥說是遇到「阿飄」，他至今想起都還會起雞皮疙瘩，彷彿一切仍歷歷在目。

李大哥憶起某晚有位西裝筆挺的客人在夜間攔車，上車後沒表明目的地，只是讓李大哥順著指示走，車子開著、開著，便進入了山間，前不著村，後不著店，進退兩難，客人只說要下車拿錢，便沒再回到原處，李大哥笑著說：「第二天我又不信，我還載我太太去看。」

目前李大哥主要在高鐵與士校站排班，同時也是士校站的站長，他說在高鐵載到的多是商務客或要回家的客人，較少人叫計程車是為了出去玩，儘管桃園整體的觀光品質都有在提升，近幾年也做了路面拓寬，但多數活動都會安排接駁車，「辦活

新 梅
78 新 梅
CROSS

動對計程車的生意幫不了什麼忙，像世客博（世界客家博覽會）也有接駁車。」李大哥嘆了口氣後說道。不過隨後話鋒一轉，他笑著說：「那種館舍沒有活動，或沒什麼人去的，我也不敢推薦。」算是變向為自己推薦的景點做保證。

此外李大哥也提到了：「現在捷運開通到老街溪站，對開計程車影響很大，以前從這邊到機場是我們主要的客人，現在桃園機場站一開通，大家都選擇搭乘捷運，坐計程車的人就少了很多，因為價格方面也有差距。」為觀光的提升感到欣慰的同時也帶有些許的無奈。

儘管計程車的生意大不如前，李大哥還是不減對這一行的熱情，他笑著說：「我希望這個工作能做到退休，計程車可以開到 70歲，71歲就不行了，牌照會被收回去，安全問題啦！我現在 65歲，真的退休後就可以出去玩了。」

苗栗是故鄉，中壢是家鄉

「一般你問我是哪裡人？我一定不會說我是桃園人，我一

定講中壢人。」李大哥年少離鄉，住在中壢的時間遠遠超過待在苗栗的時間，對他而言，中壢早已是家鄉，更令他感到親切的事是，苗栗與中壢多數的客家人，皆以四縣腔為主要腔調，儘管口音略有不同，但總有種一家親的感覺，不過他也提到在中壢，大家普遍「隱身」，若非主動與對方以客語對談，對方並不會表明自己的族群身分，「在中壢其實都會說客語，但他們不說，因為在這邊主要是做生意的問題，外地來的生意人都是閩南人比較多啊！你要主動跟店家說客語，老闆若是客家人自然會用客語回應。」

住在中壢數十載，熟悉的客語是他無論到哪，都與人溝通無阻的日常，日久他鄉，也會慢慢在體驗生活中，滋長出家的模樣。

新
2178
高鐵特約車隊
空車
HOTEL
桃園市
計程車駕駛人執業登記證
李鴻鑫
證號:H007669
有效期限:113年07月31日
發證單位:桃園市政府警察局

奇異果
HOTEL
梅
ELEVEn
陳昱數學
成就未來
TOYOTA
0988-103378

巾幗不讓鬚眉，木蘭計程車駕駛—林盈君

文 / 張簡敏希

跑車地區：桃園楊梅　　　　車　　行：浩克車行

客語腔調：海陸　　　　計程車資歷：1年

在地輕／青旅行，深入探索楊梅

許多人來到楊梅，都會前往有北臺灣第一座牧場之稱的「埔心牧場」遊玩，設施完善、佔地寬廣，是親子出遊的首選之一，但若想有一趟不一樣的旅程，到了楊梅還能去哪裡呢？這次就由在楊梅成長、生活的在地計程車司機—林盈君帶路，以深入在地人的生活為出發，安排一趟愜意且不必人擠人的客家庄小旅行吧！

麗多森林溫泉酒店

「埔心牧場對於外地人來說是個不錯的選擇，而冬天的時候楊梅的老飯店有還不錯的溫泉，『東森山林渡假酒店』還滿多人慕名而來的。」林盈君肯定地說道。

東森山林渡假酒店現在名為麗多森林溫泉酒店，位於東森路上，離楊梅火車站有段路程，但若搭乘計程車，大約十分鐘左右會抵達。溫泉酒店內，除了溫泉外，還有餐廳、咖啡廳、Spa、芳療、手作 DIY課程等多元的服務，很適合親子共遊。

酒店佔地非常大，辦理入住後，會由專人駕駛高爾夫球車，載著旅客到下榻的客房，能搭乘高爾夫球車也算是挺特別的體驗。這裡的溫泉屬於碳酸氫鈉泉，不會有刺鼻的味道，可選擇大眾池或個人專屬湯屋。大眾池內還有冷水池與半露天式香氛池，也設有烤箱、蒸氣室，讓放鬆享受能分成不同的層次，驅走平日的勞累；個人專屬湯屋的池子不大，從窗內向外眺望，能看到碧綠的山間景緻，給身心靈滿滿的能量。

特別的是，麗多森林溫泉酒店有提供寵物客房，是帶毛小孩入住的不二首選，客房裡會提供寵物床、尿盆、寵物餐桌、餐碗、寵物旅行包，以及空氣清淨機，非常的到位與用心，且酒店室內、室外皆有寵物運動區，能讓毛小孩盡情奔跑、玩耍和放電。

會推薦喜歡動物，也喜愛咖啡、甜點的旅客，到酒店裡的「貓森咖啡」坐坐，一邊品咖啡、嚐甜點，一邊由五位貓店長伴隨左右，不管是享受靜謐時光，還是拍照打卡，都相當適合。

康
03-4010101
埔心
衛星大車隊 24H
浩克
計程車行
埔心站TAXI
誠徵靠行司機
乘車服務
靠電救援
理駕駛
客購物
場接送
鐵接駁

楊梅白蛇廟

林盈君推薦遊客來到楊梅，不妨到著名的、全臺唯一的「白蛇廟」走走，白蛇廟主祀白蛇娘娘，廟內養了百來條「小白龍」。據說若得到應允，將白蛇披掛在身上，就能獲得加持與保佑，多數人慕名而來，都為求財。但林盈君說：「白蛇娘娘廟可以求生子，祂也會保護小朋友，所以小朋友若不好照顧，可以帶去白蛇娘娘那邊拜拜。」

蓮心素食店

提到楊梅在地美食，林盈君第一個想到的是位於楊梅文化街 62號的「蓮心素食店」，她笑著說：「這起碼是我從小吃到大的食物，它有湯、飯、麵，而且開很久了，每天都要排隊。」這間店無論是主食還是小菜的選擇皆很多元，林盈君特別推薦素羹類的品項，羹湯濃稠，帶著微微的甜味，據說有一嚐成主顧的魅力，無論是否為素食者，都很歡迎來踩點。

TDJ-1653
TDJ-1653

牛槌專業清燉牛肉麵

牛槌專業清燉牛肉麵開在看起來並不熱鬧的街巷裡，周邊都是一般的住宅，不怎麼顯眼，林盈君提到這家店時說：「它的牛肉是用牛肋條去做的，但價格偏高。」一進入店裡，菜單用五塊長條木板高高掛起，簡單、純粹、明瞭，扣除冷凍包，只有四個品項能點，分別是清燉牛肉麵、油蔥乾麵、牛肉湯、各式小菜，讓人完全不會有選擇障礙的困擾。店內的招牌「清燉牛肉麵」，湯頭清甜，牛肉也給得很大方，切成長條型的牛肉，每一塊都很厚實，寬麵條的口感適中，不會偏軟或偏硬，若喜歡吃辣或口味較重的朋友，可將麵條夾出，拌著店家提供的花椒油吃，牛肉則可蘸老闆特調的豆乳醬，如此一碗清燉牛肉麵的味覺享受也豐厚了起來。

新興快炒店

「我不知道你們對熱炒的概念在哪裡？你們是看著菜單點嗎？」面對突如其來的問題，大家一時不知道該如何回答，只是在心中快速回想所有在熱炒店吃飯的經驗。接著林盈君說：「我們楊梅的快炒店是自己選菜，我朋友第一次來時，他們也很驚喜，它是沒有菜單的，就在前面擺了一個一個的籃子，然後裡面有食材。」幾十年來如一日的點菜方式，發現別人為此感到新奇時，在地人反而感到驚訝，於是面對我們這樣的外來客，林盈君都會先小小提醒一下。

「新興快炒店」開業近 50年，主打客家傳統飲食，它就在國道一號楊梅交流道附近，外觀是一間有點年歲的邊間透天厝，若非在地人帶路，很容易就在注意繁雜的車流量時錯過了。如林盈君所說，一進店門口，就能看到各種顏色的塑膠籃內，放滿不同種類的青菜、海鮮、肉類，部分肉類已經氽燙處理，大隻的吳郭魚全都被油炸過堆疊在一起，如果對料理沒有概念，一時大概不知該如何點菜，只見在地人熟門熟路，隨意選了幾道就是一桌子的菜，對於不熟悉的客人，現在店家也推出了菜單，供客人「參考」，上頭並無標價，店家說他們全採用季節

車站

廣場內自行車
請牽行
無障礙
坡道
TDJ-2582
Achilles

性蔬菜，因此會以市場時價調整價格，若需要先知道當天提供的蔬菜以及價格，建議先來電詢問。

這是一間樸實無華的小店，煮的都是在地人熟悉的味道，到了用餐時間，店內陸陸續續坐滿了人，有些是一家大小一同前來，也有人單獨叫了兩樣菜、一碗白飯，好似只是回家吃了頓飯，給人一種很親近的感覺。

酒廠復古小館

或許是客家人生來就有品嚐客家菜的舌頭，林盈君推薦的兩間無菜單料理餐廳，都主打「客家味」，這間「酒廠復古小館」比前面其他兩家餐廳更隱蔽，開在楊梅頭重溪三元宮旁小小的巷子內，成排平房中的其中一間，外觀有舊式招牌、復古木門窗，一入店，彷彿穿越時空回到阿婆家的飯廳，蓑衣、老電視、收音機陳列在牆上，圓桌或方桌搭配木製圓板凳。碗筷、白飯自取，老闆上前來時沒有介紹菜色，當天買什麼食材，就做什麼樣的料理，只淡淡問了一句「不吃什麼？」其他的就是

等待上菜，一道道端上桌，都是家常的炒青菜、薑絲炒牛肉、客家茄子等，其實牆上是有菜單的，只是沒有供人選擇，也算是一種新鮮的用餐體驗。

若想加菜，推薦多點一道「混蛋」，煎過的雞蛋巴附著油香與醬油的香氣，撒上點蔥花，看似平凡無奇，但著實是白飯殺手，點上一盤能配好幾碗飯，是很實在又實惠的一道料理。

在工作中找到自己喜歡的樣貌

「因為男生都有一個心態，會覺得女生開車不安全，這也是我們有點吃虧的地方。」林盈君嘴角帶著一抹淡淡的微笑，無奈地說道。林盈君主要的工作是計程車行夜間的掌機，負責接聽電話與調派計程車載客，同時兼職當司機。前前後後加起來，一天的工時約 16小時，看見我們逐漸深鎖的眉頭，她帶點緊張地說道：「這個前提是，因為楊梅算是鄉下，夜生活不多，假日大概到 1、2點，平日大概過 12點，我差不多就在休息了，老闆也很好心，知道我累，會讓我稍微睡一下，所以聽起來工時很長，但其實還好。」

20出頭歲時，林盈君初入社會，在工廠、物流業工作過，發現自己不喜歡一般職場中的勾心鬥角，決定離職先在家休息一陣子，正好遇到住家附近的金香行徵人，從小就對宗教類事物感興趣的她，在工作中意外地了解了自己適合一個人獨立作業，做了一陣子後，在父親的支持下，自行創業開了金紙店，而自己也在這個過程中，稍微「撿回」了客語。她說：「客家話流利有一部分是因為做金紙，來買金紙的大部分都是老人家，你會講客家話，老人家就喜歡跟你多買一點。」

熟知開業一陣子後遇到疫情，只好被迫歇業，面臨人生低谷，曾歷經消沉、低迷，後來才在朋友的介紹下，進入計程車的行業。「我一個女生在車行裡，那些司機們都是男生，他們不會像女生一樣，計較那些細枝末節，所以我覺得跟他們相處起來比較輕鬆，我也很喜歡這份工作。」另外，公司也有明文規定，女生超過 12點後，不能再載客，免去了她一開始的憂慮，

也讓家人對於她的工作環境較放心。

林盈君說隔行如隔山，剛入行時懵懵懂懂，全靠司機大哥們的協助與提點，現在的她熟記路段、測速照相，同時透過兼職開計程車，使得掌機的工作更得心應手，知道如何調派得宜，從工作中找到了成就感，也因為如此現在的她才能信手捻來，推薦出在地的景點與美食，每間店她都能輕鬆說出路名、地段，雖然偶爾會因為自身性別被質疑，但她很驕傲地說：「女生也有專業的啊！

循味之旅，以在地人的視角玩桃園—范綱政

文 / 張簡敏希

跑車地區：桃園楊梅

客語腔調：海陸

車　　行：浩克車行

計程車資歷：12年

通往在地老時光的味覺記憶

午後的楊梅街上人車不多，較少與中壢、桃園市區那般聳立的高樓，八月的日頭熱辣，令人意外的是站在大路旁完全不覺得悶熱，風總在適當的時機順勢拂上臉頰。時間一到，范綱政司機準時出現在眼前，他給人的第一印象是木訥、寡言，眼神中透露出些微對於初次受訪的緊張感，可也隨著我們的提問，立即拿出專業，逐一、詳細地回答所有問題。

現年35歲的范司機，在楊梅出生、長大、工作、成家立業，這裡是他人生中最熟悉的地方。作為在客庄長大的客家子弟，他悠悠地看著楊梅的街道說：「我本身是客家人，但我在求學階段就已經愈來愈少接觸客語了，長大了也沒有再講，多半都是使用中文，我覺得是因為環境而退化了，因為只有老人家在講，我們可能只有回去看阿公、阿婆時，才會用客家話溝通，但生活、工作中不大會用到。」

言談間可以感覺到他內心對於這件事有些許的遺憾，在他的記憶中，楊梅曾是個很有「客家味」的地方，「外人聽客家人講話會覺得客家話聽起來很像在吵架，有的是咬字上的重音，情緒、咬字都是比較強烈的，但我覺得就是要這種土味，以前這裡房子沒這麼多的時候，才是客家文化最濃厚的時候，現在相對比較少，閩南語是繼中文之後大家普遍使用的語言。」范綱政語重心長地說道。隨後話鋒一轉，開始跟我們推薦起在地的客家美食，今天就讓我們跟著范綱政司機的味覺記憶，品嚐桃園在地的客家好滋味。

傳統老麵

「以前小時候最喜歡去市場裡面吃早餐，在市場裡面會有豆花、麵攤，以前楊梅的在地氣息會比較重一點，楊梅有楊梅市場，埔心也有市場。埔心有一間叫『老麵』，它在治平高中附近，它本來以前在市場裡面，然後出來做，它是路邊滿大的一間麵店，它的麵和滷肉飯都滿好吃的。白麵、油麵都有，還有油蔥酥，這是客家菜的靈魂。」明明才剛吃完午餐，但聽范

楊梅車站
YANGMEI STATION

12:28
空車
登出

綱政介紹這間店，就又覺得肚子能騰出空間吃碗麵。

傳統老麵的菜單上，主食分成麵類與鍋燒類兩大區塊，鍋燒全是海鮮口味，但范綱政特別推薦他們的麵類，湯頭都是一樣的，只是分為黃麵、白麵、粄條、米粉、冬粉、米篩目（客語：Mí-chhî-muk，米苔目）而已。麵上點綴著幾條肉絲、幾片韭菜和豆芽菜、少許蔥、些許油蔥酥，看起來平凡無奇，但湯頭著實有濃濃的客家味且不會太油，麵給的份量很足，光看就覺得很有飽足感，麵也很有彈性，吸滿湯頭，令人不禁一口接著一口，儘管斗大的汗珠如雨下般流不停，也不影響我們將它吃完。

另外，他們的滷肉飯也很值得推薦，滷肉肥瘦參半，香氣與膠質滿滿，鹹香瀰漫，再搭配上老闆給得很有誠意的菜脯，讓整碗滷肉飯吃起來一點都不膩，滷蛋也很下飯、很好吃，在現場看到好多人都點了麵，又再加一碗滷肉飯。

小阿姨大湯圓

「以客家菜來說，有一個我從小就很喜歡吃的東西叫湯圓，楊梅有一間叫『小阿姨大湯圓』，它在新農街上，是鹹湯圓。客家湯圓以前都是在吃流水席的時候，才會出現的。還沒入席時會跟著粢粑（客語：ci ba`，麻糬）一起擺在那邊，在客家的地方一定會有這些東西。」說起自己最喜歡的食物，范綱政一邊說，一邊微微地嚥了口口水。

小阿姨大湯圓開在楊梅交流道附近，離天成醫院僅 600公尺，裝潢與一般傳統小吃店不同，店面很大也很明亮，各式不同顏色的桌椅交錯擺放，這裡同樣有賣客家味的麵食與滷肉飯，但多了大、小湯圓的選項。大湯圓指的是內有包肉餡的湯圓，一般在市面上較少見，小湯圓則是較常吃到的紅、白湯圓，客家人又稱它為「惜圓」或「粄圓」。

點了一碗大湯圓，裡面有五大顆，內餡是與油蔥酥、醬油一起爆炒的肉末，湯頭散發著濃濃的油蔥酥味，上面鋪滿了韭

菜，若不介意吃得鹹一點，店內有提供香氣十足的蔥花辣醬油，讓客家味又更具層次，湯頭更加鹹香濃厚。

大楊梅鵝莊

近年來，一間主打青春、精緻又保留客家傳統口味的客家餐廳「柚子花花青春客家菜館」，在臺北、桃園、竹北等精華地段，開立了一間間的分店，擠身百貨商場之中，翻轉大眾過往對於傳統客家餐點平價、樸實的想像。大家可能不知道「柚子花花青春客家菜館」，其實是楊梅有名的「大楊梅鵝莊」所創立的年輕品牌。

「大楊梅鵝莊──楊梅創始店」距離楊梅火車站並不遠，步行不到十分鐘即可抵達，用餐的空間非常大，可是平日、假日用餐的人都很多，建議還是要先訂位。范綱政特別推薦了「招牌鵝油燜筍」，一般的客家燜筍會煮得比較油，但他們的燜筍意外地不會太油膩，吃起來不會太有負擔，又保留了筍子的脆口，鵝油的鹹香鮮甜。

TAXI
133
止
左
轉
GO WISH

這裡的菜品很多，私心推薦梅乾扣肉，以及椒麻三層肉，它們都是白飯殺手，讓人忍不住一碗接著一碗，鹹香到位、肥而不膩，老中青幼都愛。

能動能靜，看見桃園的旅遊魅力

談起桃園的觀光，范綱政經過了深思熟慮後，告訴我們：「桃園交通很方便，路線都簡單明瞭又好走，塞車不會很嚴重，也不像一些重點城市，交通法規上較嚴厲，桃園燈號誌不會這麼多，交通上算是很舒服，而且早、午、晚都滿多地方可以前往，吃、喝、玩、樂都能濃縮在一起，相對比較方便。我覺得桃園是個能文能武的地方。」

但當問起桃園的觀光是否有提升時，范綱政沉默了片刻，而後語重心長地說：「你要觀光，可是都市化又一直在吃大自然的土地，那觀光相對就會縮小，很明顯都只剩山區，因為平地都建高樓了。」各個鄉鎮如今都面臨同樣的問題，可無論現代化如何影響桃園的發展，在范綱政心中，桃園仍是最值得走

訪、觀光的地區。

范綱政說若喜歡靜態型的活動，可以到青埔逛華泰名品城、大江購物中心、Xpark水族館等，放慢自己的步調，只是逛逛街、購物，有機會的話，也能去樂天棒球場觀賽，感受親臨現場的絕佳震撼力。晚上若想吃小吃，可以去中壢新明夜市、中原夜市、興仁花園夜市，假日則不妨到三坑老街與大溪老街走走。如果喜歡比較動態，但不會太累、太刺激、過度需要體力的活動，還能考慮到永安漁港的綠色隧道騎騎腳踏車。

給家一個堅實的臂膀

范綱政是大夜班的計程車司機，在進入計程車行業前，當過業務也做過運輸業，當被問起想開計程車的原因時，他先是淡淡地說：「轉入計程車這行，是因為時間的問題，我需要一個更自由的工作。」而後便陷入了有一搭沒一搭的沉默，在這段時間，他的腦中好像想了很多事情，等他整理完思緒後，才又說道：「會進入這行主要的起因，是因為我太太懷孕了，我

必須要照顧她，同時又要工作，就沒辦法去做固定時間或需要加班的工作，我如果可以自己掌控時間，比較能控制這些事情，這樣偶爾要產檢什麼的，我都可以配合她。」

這些話一說完，他整個人突然緩和了起來，漸漸表現出溫柔的那一面，接著他露出了微笑說：「小孩我都自己帶，他現在六個月大而已。我也是讓老婆去上班，那我就跟她輪替，她白天上班的時候，我帶小孩，她下班換她帶，我就晚上出來跑車。」這是他見到我們後，第一次露出笑容。

不只是對家人溫柔，范綱政面對乘客，也總是拿出暖心、柔和的一面，他說自己曾載到一位一上車就要求開窗、唱國歌的客人，他不僅讓他唱，他還陪他一起唱，他說那時他心裡想著：「不行！大哥唱的那個 key不對。」於是他就一遍又一遍的陪著對方唱歌，直到抵達目的地，他說：「大家都知道這號人物，有時候你會在楊梅埔心的街上，看到他穿唐山裝在街上走，行為有點詭異，他對於我讓他開窗唱歌很開心，我們多半都是客人要求什麼，我們就盡量配合。」

范綱政提到自己也曾載老人家去買菜、載外籍移工到想去的景點、載要送急診的孩子趕去醫院，盡心盡力之餘，全是對待顧客的重視與細膩，言談間，總會讓我們覺得坐在他的車上，一定是非常有安全感的一件事，好像那雙開車的手攬住了很多責任，給人一種特別厚實的感覺。

桃園旅遊介紹

龍潭地圖

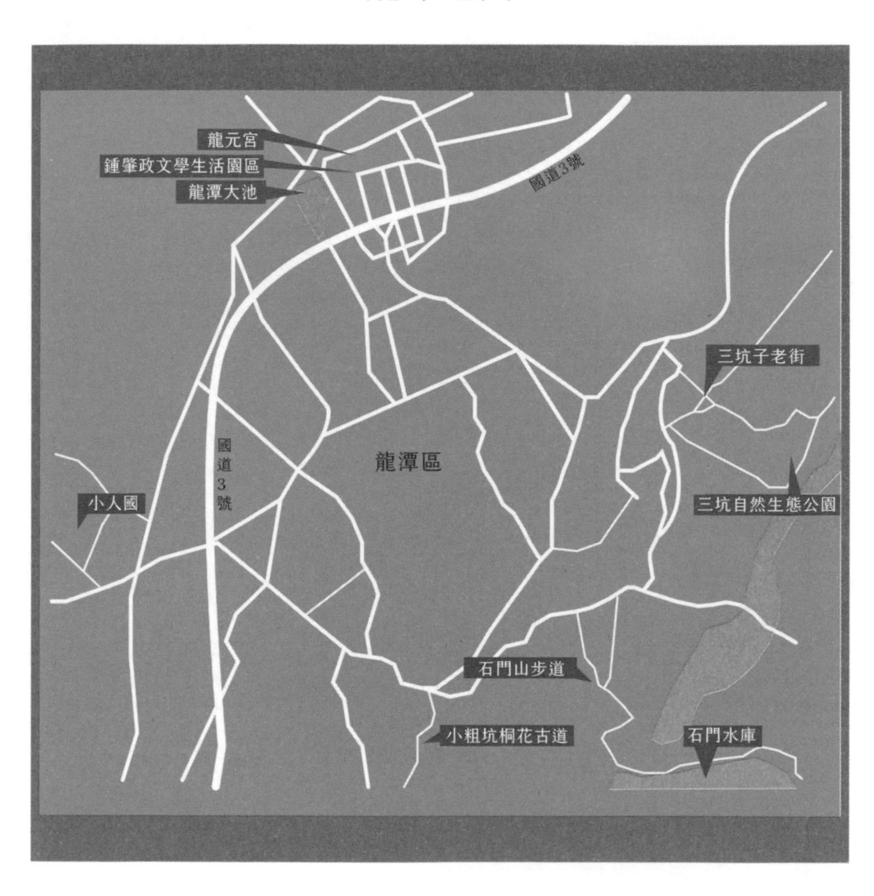

石門水庫

地　　址：桃園市大溪區復興里環湖路一段68號

開放時間：08:00-18:00

曾是遠東最大最宏偉的水庫之一。對外可連接十幾個精彩景點。還可在石門大壩碼頭和阿姆坪碼頭搭上遊艇環湖遊覽。

石門山步道

地　　址：桃園市龍潭區石門登山口

由天然岩與石木階梯組成的平易近人步道。步道頂是合歡山系的百岳之一石門山，因此成為山友爬百岳的初階步道。

三坑子老街

地　　址：桃園市龍潭區三坑老街 45號

以「龍潭第一街」著稱，是道地的客家聚落。也是知名電影如《大尾鱸鰻》和《愛讓我們在一起》的拍攝地。

三坑自然生態公園

地　　址：桃園市龍潭區三坑里堤防旁

全區採用生態工法建造，並大量種植當地的原生花草樹種，使生態公園融合於自然景觀。

龍元宮

地　　址：桃園市龍潭區東龍路 246號

開放時間：05:00 -21:00

每年農曆 4月 26日的五穀爺聖誕，廟會熱鬧非凡，吸引眾多信徒參與。

龍潭大池

地　　址：桃園市龍潭區中豐路上林段 115巷 11號

開闊的人工湖，原本設計為灌溉功能的池塘。獨特的人工島上有古老廟宇「南天宮」，以及具有九個彎曲的忠義橋。

鍾肇政文學生活園區

地　　址：桃園市龍潭區南龍路 1號

開放時間：09:00-17:00（週一公休）

前身是龍潭國小日式宿舍群和龍潭武德殿。因客家文學作家鍾肇政任教龍潭國小時曾住過 11 號宿舍，於 2015年蛻變為「鍾肇政文學生活園區」。知名小說《魯冰花》在此誕生。

小人國

地　　址：桃園市龍潭區高原路 891號

營業時間：（平日）09:00-16:30，（六、日）09:30-17:00

成立於 1984年，靈感源自創辦人在國外欣賞到的荷蘭迷你景觀。二十五分之一比例的縮小版迷你世界國度匯聚了超過100座世界知名景點。

小粗坑桐花古道

地　　址：桃園市龍潭區高平里粗坑 2鄰

原是日據時代闢建的牛車道，曾是當地居民運送物資的生命線。步道步行時間約 1.5小時，沿路可見油桐花樹，成為熱門的賞桐景點。

大溪地圖

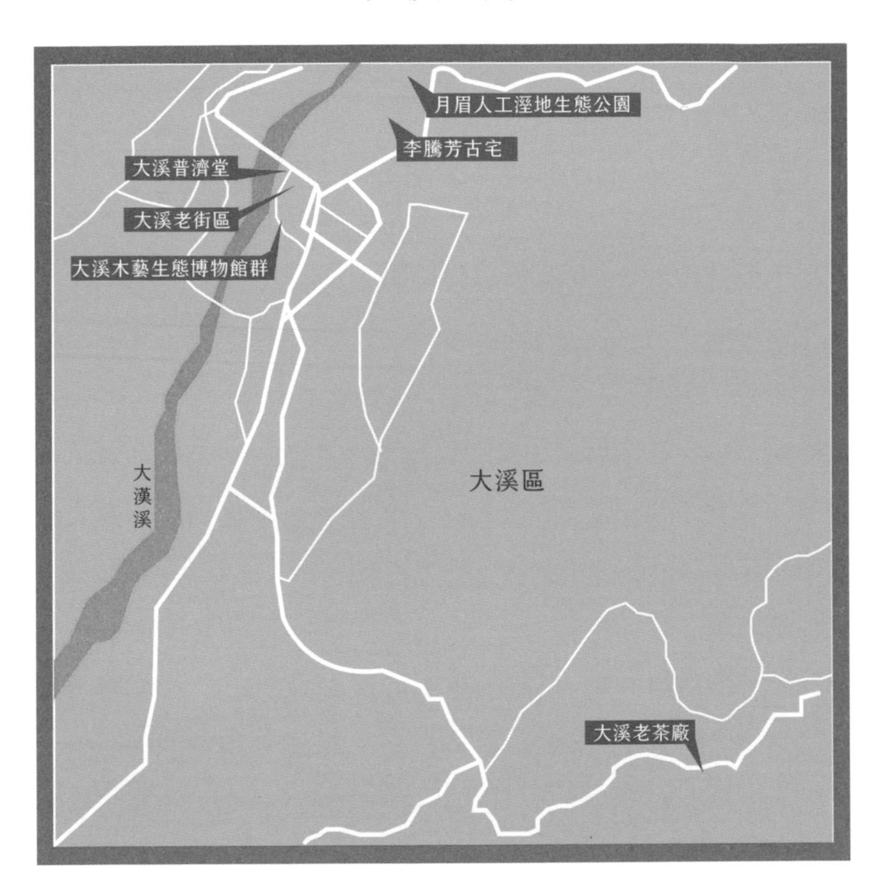

大溪老茶廠

地　　址：桃園市大溪區復興路二段732巷80號

開放時間：09:30-17:00

建於1926年，前身日本是三井合名會社的「角板山工場」。建物巧妙融合了台灣的工藝、日本的風格和英國的元素。2010年台灣農林著手重建，將古老的茶業風華重新演繹。

大溪木藝生態博物館群

地　　址：桃園市大溪區普濟路 5號

開放時間：09:30-17:00（週一公休）

大溪自 1810年代開始開展木器業，經過 200年發展，成為臺灣木器產業重鎮。為了保存、記錄與展演「大溪木藝產業」和「大溪常民生活」成立生態博物館。

大溪老街區

地　　址：桃園市大溪區和平路、中山路路段

和平路、中山路、中央路三條歷史街屋融合巴洛克風格立面牌樓與閩南傳統裝飾，希臘山頭、羅馬柱子和中式的魚、蝙蝠等吉祥圖案交織，呈現出大溪獨有的魅力。

大溪普濟堂

地　　址：桃園市大溪區普濟路 124號

開放時間：05:00-21:00

大溪信仰中心。成立於 1902年。每年農曆 6月 24日，慶祝關聖帝君誕辰的盛大慶典成為當地最熱鬧的活動，被譽為大溪的「第二個過年」。

月眉人工溼地生態公園

地　　址：桃園市大溪區月湖路 36號

擁有 10個生態池，有如同天然過濾器般的功能，適合魚類、水鳥、昆蟲棲息，擁有豐富生態景觀。這裡也是桃園的落羽松秘境，種植了三百多棵的水生落羽松。

李騰芳古宅

地　　址：桃園市大溪區月眉路 198巷 32號

開放時間：09:30-17:00（週一公休）

1860 年興建。又稱李金興古厝。是擁有兩落四護龍的大宅門第，典型詔安客家建築的代表之一。目前是桃園市唯一國定古蹟。象徵著漢人家族深耕大溪在地的過程。

桃園地圖

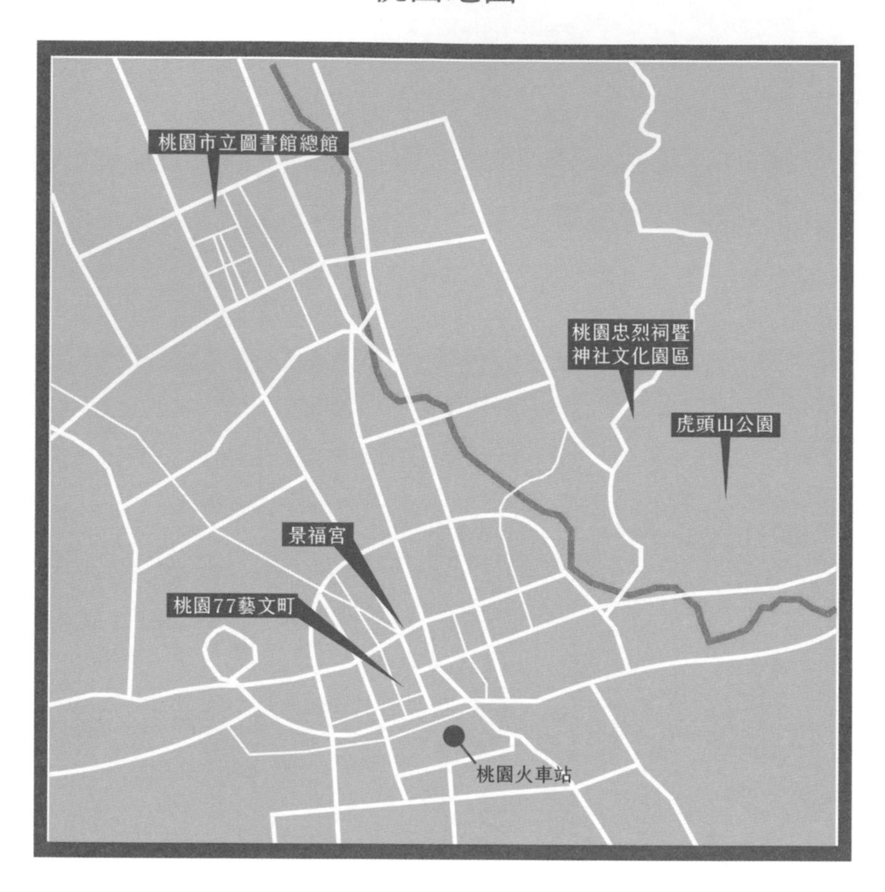

桃園市立圖書館總館

地　　址：桃園市桃園區南平路 303號

開放時間：08:30-17:00（日、一）、08:30-21:00（二至五）

位於桃園藝文特區。2022年改建第二代總館，為桃園市最大的公共圖書館，也是全國最大的地區性公共圖書館。總館內部還規劃了電影院、文創廣場、主題餐廳等豐富設施。

桃園 77藝文町

地　　址：桃園市桃園區中正路 77巷 5號

開放時間：10:00-22:00（週一公休）

前身為「桃園警察局日式宿舍群」，是桃園少數保存日式木構造建築型式的宿舍群之一。園區提供展演、手作、餐飲、咖啡等多元化文化體驗。

景福宮

地　　址：桃園市桃園區中正路 208號

開放時間：07:00-20:50

是開漳聖王廟，也是桃園十五街庄的信仰中心。被列為市定三級古蹟。

桃園忠烈祠暨神社文化園區（桃園神社）

地　　址：桃園市桃園區成功路三段200號

開放時間：09:00-17:00（週一公休）

前身為日本人所興建的「桃園神社」。是臺灣保存最為完整的日治時代神社。被列為市定古蹟。

虎頭山公園

地　　址：桃園市桃園區公園路42號

開放時間：08:00-17:00

地勢高聳居高臨下，被譽為「桃園後花園」。有賞景健康步道、櫻花步道、森林體驗步道、太陽亭步道、梅園步道、生態解說步道、忠烈祠步道等七條環狀登山步道。

八塊厝民俗藝術村

地　　址：桃園市八德區重慶街36-1號（大湳森林公園內）

開放時間：09:00-17:00（週一公休）

「八塊厝」是八德舊地名，代表曾有八個姓氏的閩南族群在此落地生根。藝術村以四大主題展館，呈現閩南文化與民俗技藝的瑰寶。

中壢地圖

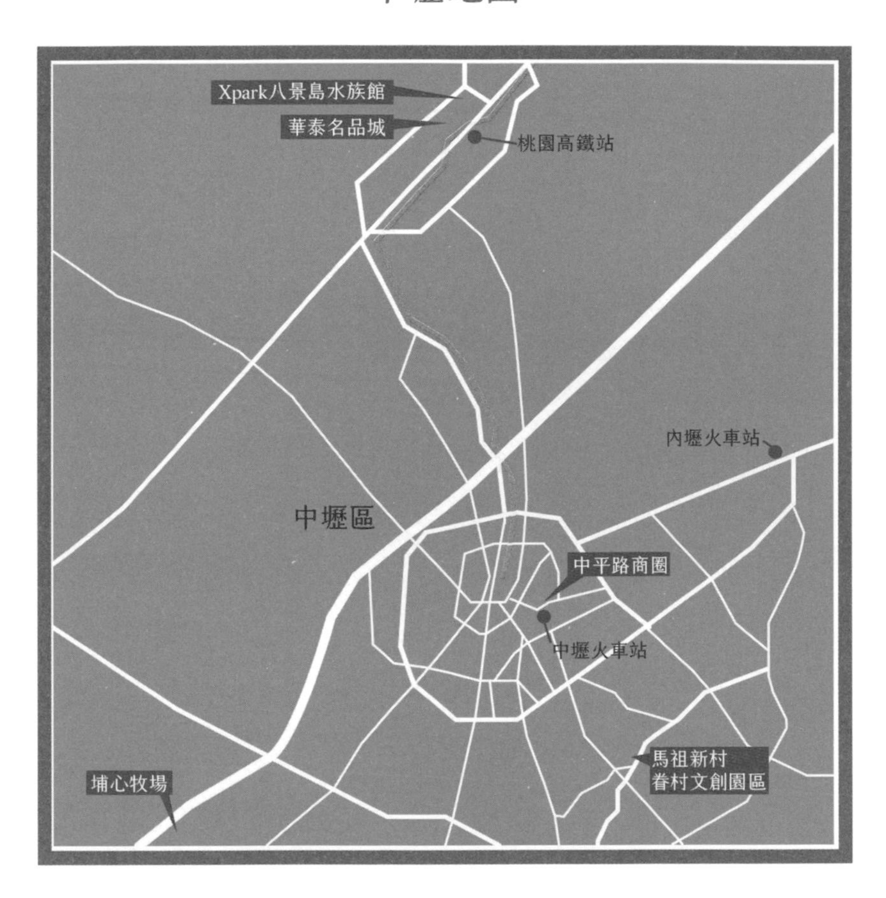

馬祖新村眷村文創園區

地　　址：桃園市中壢區龍吉二街155號

開放時間：09:30-17:00（週一公休）

　　於民國46年建造，安置駐守馬祖列島的陸軍第84師部隊在台眷屬。因將、校、尉官雲集，享有「桃園將軍村」美名。

華泰名品城

地　　址：桃園市中壢區春德路 189號

開放時間：週一至週日 11:00-21:00（週六、週日至 22:00）

全台最大的露天美式購物中心，由國泰人壽與華泰大飯店企業集團攜手合作開發。擁有百大國際精品進駐。搭高鐵、機場捷運都能抵達。

Xpark 八景島水族館

地　　址：桃園市中壢區春德路 105號

開放時間：週一至週日 10:00-18:00（週六至 20:00）

日本的新都會型水生公園「橫濱八景島」首度於海外設立的分館，擁有 13大主題展區，創造沉浸式五感體驗。

中平路商圈

地　　址：桃園市中壢區中平路周邊（火車站前）

位於中壢火車站前，有「桃園西門町」之稱。商圈內有全長近 700公尺、寬 15公尺的人行步道，很適合逛街。

埔心牧場

地　　址：桃園市楊梅區高榮里幼獅路一段 439號

開放時間：09:00-17:00

台灣北部親子及百大企業首選的親子休閒牧場。特色之一是擁有療癒又親近的動物村莊「萌萌村」，讓親子學習尊重生命及生態保育，教育性與愉悅感兼具。

客語小教室

單字 / 句子	客語拼音	腔　調
粢粑（麻糬）	ci ba`	海陸腔
米篩目（米苔目）	mí si`mug	海陸腔
你好	ngi ho´	海陸腔
你係客人無？哪位人？（你客家人嗎？哪裡人？）	ngi heˇhag ngin mo? nai + vui + ngin?	海陸腔
𠊎在龍潭該位（我在龍潭那裡）	ngaiˇ di liungˇtamˇ ge vi	四線腔
愛去哪裡？（要去哪裡？）	oi hi nai vi?	四縣腔
愛去哪？（要去哪？）	oi hi nai?	四縣腔
𠊎到咧（我到了）	ngaiˇdo le`	四縣腔
食飽吂（吃飽了嗎？）	shid`bau´ mang?	海陸腔
食飽咧（吃飽了）	shid`bau´le`	海陸腔
膴身顧好（身體顧好）	vu shin`guˇho´	海陸腔
客家精神	hag ga`zin`shin	海陸腔
無愛想忒多（不要想太多）	mo oiˇsiong´ted` do`	海陸腔
假精（雞婆）	ga´ zin`	海陸腔

今晡日愛啉到醉，細妹愛蹬線，愛會搞（今天要喝到醉，女生要漂亮，要會玩）	gim´bu´ngid` oi lim´do zui, se moi oi denˇ xien, oi voi 四縣腔 gau`
準備愛去尋細阿姊，有識个嗬？你了解嗬？（準備要去找小姐，有認識的喔？你了解喔？）	zun` pi oi hi qimˇ se a´ji`, iu´siid` ge ho`? 四縣腔 ngˇliau`gie`ho`?

入口
Entrance
55178
55178
55688
55688
TEA7115
台灣第一

第二章
新竹計程車司機

新竹縣市兼具了傳統與現代兩大特質，在傳統的山線沿線，竹東鎮是其中最大的市鎮，扮演了山線鄉鎮最重要的交通、商業樞紐中心。早期因林業發展興起的竹東鎮，有極高比例的客家後裔居住在此，這裡的計程車以白牌車為主，在交通沒有這麼方便的山線區域，是許多長輩賴以移動的重要交通方式，不論長程或短程、到各大醫院的接送或貨物商品快遞，時常需要仰賴機動性高的白牌計程車。

但在竹北市或新竹市的都會區域，就有完全不同的情況。新竹市區有著最多的商務乘客每天往返科學園區，新竹高鐵站即成為最大且重要的計程車排班站點。在上下班高峰時間過了之後，才會轉移到鄰近的巨城商圈等地方，又或是竹科太太的午後時光，游移在各家新穎的咖啡廳之中。

新竹計程車行：

（一）紅帥汽車行　　　（市話：03-571-3333）

（二）金立衛星車行　　（市話：03-522-333）

（三）第一中華衛星車隊（市話：03-551-6000）

（四）台灣大車隊　　　（手機：55666、市話：058-8888）

（五）大都會衛星車隊　（市話：03-620-4000）

（六）新進交通有限公司（使用 Uber App叫車）

（七）鼢斗雲大車隊　　（使用 Line Taxi App叫車）

穿梭在計程車中的亮麗身影——盧欣岑

文 / 編輯室

跑車地區：新竹竹北

客語腔調：海陸

車　　行：無

計程車資歷：2年

重返職場的華麗轉身

計程車司機大多都是年長男性為主，盧小姐是我們這次訪談對象中少數的女性計程車司機。一般民眾可能對計程車司機會有些負面印象，但盧小姐則是翻轉了這樣的觀感。除了外在形象的亮眼、開朗之外，也感受到盧小姐非常真誠地喜歡計程車司機這個行業，連帶影響了其他周遭女性友人來探詢如何進入計程車行業。讓人感受到做為職業司機的成就感和滿足感。

原本從事的工作是在百貨公司當櫃姐，銷售香水、衣服這類商品為主。在踏入婚姻後中斷了原先的工作，改當家庭主婦打理一家大小，在將近長達八年的時間照顧三個孩子。直到孩子步入了小學，突然多出了空餘的時間，也讓她開始思考自己的未來發展。

重返職場的過程並沒有很順利，職業婦女若要配合孩子上學與放學的接送時間，有很多工作是沒辦法做的。重新回到百貨專櫃的工作時間會太長，若進入新竹最多的科技公司，工作內容就是太制式化。最後在從事包車租賃工作的先生建議下，選擇從事計程車這份職業，也開啟人生的另外一種發展潛能。

一開始對於「計程車司機」的稱呼有著社會上固有的刻板印象，因此起初內心也有些微排斥，同時也擔心自己踏入新的領域中會不會有許多不適應的情況。即便一開始會受到不少來自外界質疑的眼光，盧小姐表示自己個性活潑開朗、喜愛在社群上分享今天跑車去哪些景點遊玩，也吸引一些朋友對於這份職業的好奇與詢問。轉職成功的兩年期間，也遇到許多同事跟客人的協助，逐漸累積經驗一一克服大小問題，並獲得同事、客人與家人們的肯定。

小黃的外觀上貼著「偓講客」的粉色車門貼，自然也吸引許多客人搭乘。盧小姐笑說自己擅長的客語方言是海陸腔，每次聽見客人主動以客語進行對話，內心都會感到非常親切，所以也會用客語給予客人回應。雖然客語並不是特別流利，但能夠進行簡單的口語溝通，同時也在對話過程中，藉此訓練自己的口說表達能力，期勉能夠更加熟稔客語，用熟悉的語言拉近駕駛與乘客的距離。

55178
北湖
TDT-1616宏麟
手機直撥
美好 一起出發

55178
M
55178
M

M
大都會
28212
28386

來一趟獨特的身心變美之旅吧！

平時最常在新竹高鐵站排班的盧小姐，遇到過各式各樣的乘客。很特別的是，幾乎每天都會遇到有乘客一上車看到是女性司機而驚嚇到，他們大多都以為是司機「大哥」，結果卻是年輕女生。就會開始詢問「怎麼會想要跑計程車？」，開啟了每天日常的話題。

在高鐵站載到的大部分是商務客，比較不會遇到不好的乘客。但也曾遇到有男性乘客在乘車途中，遇到停等紅燈時突然跟路上賣玉蘭花的婆婆買下整盤的玉蘭花，並在下車的時候直接送給盧小姐。這樣的搭訕情節也是時常會發生呢。

此外還有很多婆婆媽媽們搭上盧小姐的車都會感到特別開心，也許同為女性的關係會讓彼此更有安心的感覺，再加上如果剛好彼此都會說客語的話，就更是親切了。

「這份工作的上班時間彈性、自由，也可以跟客人認識，進而變成三不五時聯絡的好友。」在工作的過程中也和不少客

人變成朋友，盧小姐表示現在的自己是非常喜歡、享受這份職業。與客人閒話家常、互相關心，甚至也有客人因為相談甚歡，便將方才購買的特展點心送給她享用，或是大方的給付小費，客人所給予的回饋都讓她感到人情的溫暖與感動。

因為是女性程車司機的身分，也讓許多因故夜歸的女性們能更加放心搭乘，除此之外，也會跟客人彼此交流關於一些女性話題的心得。在車上與客人暢談睫毛去哪裡做的、美甲的維持度，也以過去擔任櫃姊的經驗分享保養心得跟美妝推薦，如此專屬的「變美」話題，想必僅存在於某些限定的計程車內才可以享受一起分享的樂趣。

平時休假的閒暇時間，盧小姐喜歡與閨密好友一起享用早午餐，她笑說自己最喜歡去網美咖啡廳拍照打卡、記錄生活，更喜歡去做岩盤浴消除平時工作累積的疲勞，也會把握休假時間去做臉、美甲、美睫。在褪去計程車司機的制服，離開母親的角色框架，她的內心其實跟大部分的女性一樣，都保有一顆

大都會
Use for CROSS
COROLLA CROSS

年輕、愛漂亮的少女心。

歡迎大家來新竹尞（歡迎大家來新竹玩）

盧小姐提到其實小時候都有在說客家話，但因為奶奶過世以後就不常說了，不常說客語，現在就變成比較生疏。在她這一代會說客語的人已經不多，而客語計程車的玻璃貼有「俚講客」（我會講客語）的貼紙，就會有很多年長的乘客一上車說「做得講客話無（zoˇ ded gong´ hag faˇ mo? ）」（可以說客家話嗎？），開始用客家話對談之後，乘客也會感到很親切。

最常閒聊的話題就是從「你好後生（ngi hauˇheu+ sang`）」（你好年輕）開始。當盧小姐提到自己已經生三個兒子了，大家就會說好厲害呀！客家話就開始一直聊下去了。客語以海陸腔為主的盧小姐，先生則是海陸腔和四縣腔都會通，夫妻在家中也會用客語對話，但通常是在說不想讓小朋友知道的事情的時候。

在這樣溫馨的小家庭中，大大小小的事情都會圍繞在孩子身上。除了工作日常中與姊妹好友的少女話題之外，盧小姐最

M
大都會

推薦新竹的南寮漁港、內灣老街與北埔老街做為旅遊景點。這三個景點除了原本就很熱門之外，對盧小姐這樣喜愛美食的人來說，這裡的海產小吃、山產野薑花粽、黑糖糕到老字號的擂茶、菜包，每一間都不會踩雷，最適合全家一起走走逛逛與吃吃喝喝了。

除了大眾熟知的熱門景點，盧小姐也推薦新埔的九芎湖、湖口老街和湖口好客文創園區，偏向可以親近大自然，也有各式各樣的藝文活動，重點是這些地方都非常適合溜小孩。

盧小姐現場也教大家一句客語：

「新竹有當幾好尞、好食个地方，歡迎大家來尞。」

(sin\`zhug rhiu\`dong\`gi´ho´liau+、ho´ shid\`gaiˇti+ fong\`, fon\`ngiang tai+ ga\`loi liau+)

翻譯：新竹有很多好玩、好吃的地方，歡迎大家來玩。

從盧小姐年輕女性客語計車司機視角中，讓我們看見了計程車司機的另個面向。與其他人不同的是，有更多長輩、女性

乘客的故事在旅程中彼此交流與互動，這些來自長輩們的關心「愛食飯喏（oi siid fan ho`）要吃飯喔」是最直接打破現代人常見的疏離感距離。

隨著科技的進步，許多女性乘客已經可以從手機叫車服務的 App優先指定女性駕駛派車接送，而司機的手機都已有了定位，即便夜間婦女搭乘也有很好的安全性。整體環境的改善與家人對這份工作的肯定，就是盧小姐最好的原動力。

不僅僅是個計程車司機——高偉凱

文 / 羅亭雅

跑車地區：新竹縣市

客語腔調：海陸

車　　行：無

計程車資歷：3年

「我小時候曾經說過想當計程車司機，我爸爸說：『養這個孩子沒用！』」，雖然只是兒時不經意的話語，沒想到過了十幾年，偉凱大哥真的當上了計程車司機！

從臺北到新竹

原是臺北人的他，因為工作的關係初來到了新竹，不過不是開計程車、也不是進園區當工程師，而是為了替勞工發聲。「我很早就立下志向要加入勞動黨」，由於老家在勞動黨羅斯福路的總部旁，長期接觸之下，因認同勞動黨的理念，高中時期的偉凱大哥便立志加入勞動黨，大學和研究所時期也開始參加勞運，兵役一結束後，便跟著黨部來到了勞工運動最興盛的新竹。

到了新竹後先任職於產業總工會，一方面因工會經費有限需另謀生計，一方面也覺得要到工廠工作，才能夠更加體會勞工的處境，便應聘至科技廠擔任副工程師。做二休二、日夜輪班的日子讓偉凱大哥難以利用空餘時間服務勞工，看中工作時間自由的優點，偉凱大哥便於 2002年轉身投入了計程車行業，在遇到需要幫助的勞工時，能隨時放下工作前往支援，經過長期的付出與深耕，也讓他在 2009年時成功當選縣議員，不過在2017年連任的任期，為抗議法案刪修不公，毅然決然選擇辭去議員職位，以換取讓更多人看見這項議題。

離職後，偉凱大哥透過求職網站多方尋找出路，然而工作經驗列著曾經擔任過議員的職務，再加上中年的年紀，使得這次的再就業並不如預想中順利，甚至還曾發生公司收到履歷後，緊張地以為偉凱大哥是來調查勞動現場，謹小慎微的致信電郵請教高見。最後，偉凱大哥選擇關閉求職網站，拿起報紙、到書店買了手寫的履歷表，工作經驗欄位上只寫著「計程車司機」，便應聘到便當店當起了外送員，騎著小野狼，一人、一車、一個便當掛袋，穿梭在竹北的馬路與巷弄之間，期間還提起了紙筆，以《載著椒麻雞和滷排骨飯的馬鞍袋之歌》榮獲吳濁流文學獎散文獎。外送員的生活持續了 5個月後，受到同黨民意代

本車每日酒精清毒

55178
TDJ-3909
55178
大都會
高鐵特約車隊
27336
中華

M
55178
28181
TDB-1995
27390
390
28610
TDB-1182
28610
03-520-6868
竹科8分鐘
宏道
新竹帝寶
二層美式別墅
38-75坪花園住宅

表的邀請，轉任幕僚，一直到 2022年輔選結束後，偉凱大哥選擇從服務人民的第一線退出，又再次跑起了計程車。

與10幾年前入行的初心不同的是，以前身為黨部年輕幹部，是為了有更多時間可以投入在民眾服務，才選擇開計程車，而今再次投入計程車行業，工作排程的彈性，可以更關注在自身，偶爾練練書法、看看書、約朋友小聚，現也還是會抽出時間，協助黨部後起的幹部處理勞工案件。

計程車司機的社會觀察

再次入行後，偉凱大哥選擇在離家較近的竹北火車站排班，不過因為客源不多，又不在主要幹道上，少了隨機過路客的可能，因而轉往新竹高鐵站排班。高鐵往來的多是商務客，不時也會遇到外國籍的乘客，偉凱大哥會特別問乘客的國籍，紀錄下曾載過哪些國家的客人。

在外國籍乘客之中，日本、美國、韓國佔多數，來自這三個國家的乘客也多半是到科學園區洽公的商務客，偶爾也會遇

到來自泰國、菲律賓、越南、哥倫比亞、肯亞、甘比亞、英國、德國、義大利、奧地利、以色列等地的乘客，「目前倒是沒遇過大洋洲的乘客」，這些乘客之中，有的是來旅遊、有的則是在臺灣擔任外語老師。

和外國籍的乘客接觸多是使用英語對答，「不過我盡量學會說每個語言的『謝謝』」，除了常聽到的「ありがとうございます」、「Merci」、「Gracias」、「감사합니다」外，東南亞語系的「謝謝」也難不倒他，像是馬來語「Terima kasih」、越語「cảm ơn」、菲律賓方言「salamat」等。因先前在科技廠及工運第一線服務勞工時，曾接觸過外籍移工，偉凱大哥刻意向他們學會了幾句單詞，因此讓他能夠應對各式不同的客人，而在異鄉能夠聽到自己國家的語言，想必對外國籍乘客來說，也更加顯示台灣的親切及友好。

此外，偉凱大哥也分享一些搭載外國籍乘客時發生的難忘經驗，「今天剛入春時天氣偏涼，每個客人上車我都會問他要開冷氣還是開窗戶吹風，有位泰國客人說要關窗開冷氣，結果他在車上吃榴槤」，榴槤的氣味就這樣，在車內久久飄散不去；遇到乘客給小費是計程車司機的小確幸，台灣乘客有時會給整鈔，讓司機把找的零錢留下，而某些國籍的乘客則是會有給小費的文化，「小費給的最誇張的是美國人，有一次我幫一個美國人翻譯買麵，車錢 2百多，翻譯費 1百多，講幾句英文中文和開車的錢差不多」，意外的收穫讓偉凱大哥特別驚喜。

會說客語的河洛人

不是客家人的偉凱大哥在服務新竹勞工的過程中，漸漸地學會了講客語，地道的發音讓你猜想不到他其實並非客家人，甚至講起華語時還會冒出「客家國語」呢！「我在新竹住太久了」，談起如何學會客語，偉凱大哥開始細說與新竹的淵源，1995年大學期間開始接觸新竹工會的工作，退伍後便在客家人口比例高達 67.8%的新竹居住近 30年，四周都是客家人的環境之下，學習客語變成了再自然不過的事，「當然也要刻意去學，

大都會

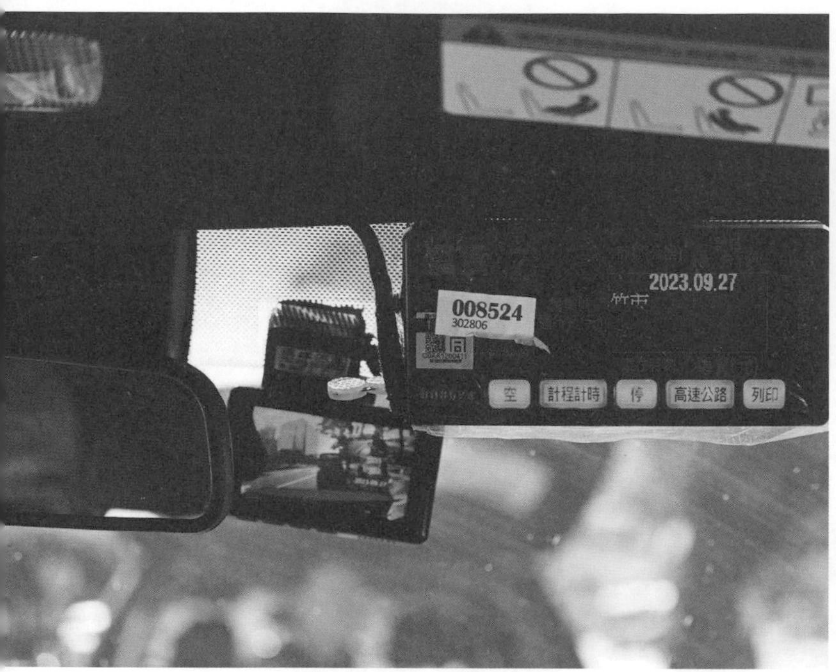

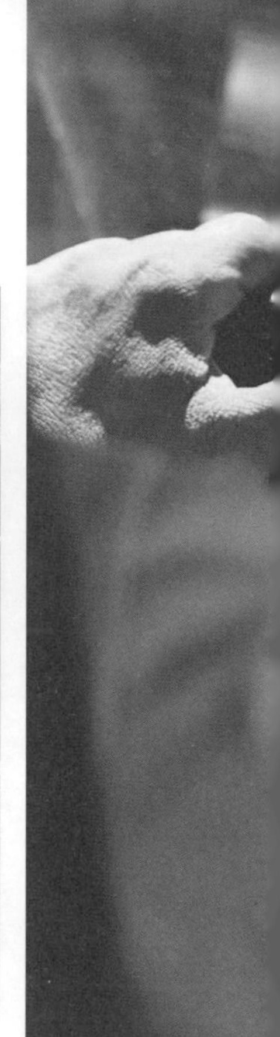

有些人和我處在相同的環境，但是他們沒有想要學」，基於對客家族群及新竹這塊土地的認同，偉凱大哥願意學習新的語言，「講不標準人家會笑你，但講久了就差不多，至少他們知道你是河洛人就不會太苛求」。

在偉凱大哥眼中，客家人與河洛人其實並沒有太大不同，撇除語言外，有些文化、習慣及飲食上都有一定程度的共通點，而從臺北大都會移居到新埔小鎮的他，倒是深刻體會到鄉下地方特有的人情味，「我家的摩托車還會長菜出來，有時連兒子

多釣幾尾魚，也會分一些來，隨時要注意門前的摩托車有沒有長菜長肉」，而偉凱大哥也會在新埔高接梨盛產的季節，和朋友多訂幾盒，作為回裡分享給鄉居。比起在車水馬龍、熙來攘往的都市中，鄉下地方人心的距離，好像更接近、更有溫度。

角色之間的轉換

偉凱大哥自正式踏入職場後，因機遇的使然，多次轉換角色，曾經當過副工程師、計程車司機、黨工、幕僚、議員、便當店外送員、小說家、講師、洗碗工、書法家等，每個職業與身分，都讓偉凱大哥得以看見在社會中生存的各個族群。

　　從事勞工運動時，偉凱大哥大多遇到的是有工作或失去工作的勞工，而開計程車就有更多的機會在從出發地到目的地這短短的時間內，看見每位乘客顯露於言表之中的故事。

　　有次接到衛星叫車前往東元醫院載客，看似是女兒帶著老父親就醫準備回家，老父親行動不便，偉凱大哥便和女兒一起將父親從病床上移動到輪椅、抱著他上車；上車後，偉凱大哥跟著路線的指示，載著父女倆到關西，並轉進一條死巷裡，隨即映入眼簾的是用簡易鐵皮和水泥搭起的房子，偉凱大哥把老父親安置在客廳的床上，女兒七手八腳的找出父親的敬老安心卡後，再加上些許現金，才完成了這趟車錢的支付，「是有一點不一樣，但社會上一般就這些人」。

　　車上所見只是小小的社會縮影，也許是光輝面、也許是陰暗面。人生百態，不管處在社會的光輝面或陰暗面，在名為人生的道路上，大家都只是為了生存而打拼的人。

而在不停切換人生角色的人生之中，偉凱大哥不管在哪個位置上都能怡然自得並且找得到自己的定位，我想這是只有清楚知道自己是誰、為什麼信念而活的人，才具備的豁達與大度。

TDB-1132
心動音樂電台
TDB·1132

快訊
好康

歡喜做、甘願受——林成旺

文 / 羅亭雅

跑車地區：新竹縣市

客語腔調：海陸

車　　行：一人計程車行

計程車資歷：8年

幾經輾轉的職涯

成旺大哥 28歲之前擔任泥水師傅，因為受傷的關係，在工地現場爬上爬下的工作無法再繼續，便至錸德科技工作擔任作業員，42歲那年因產業沒落及公司政策而被裁員，接著改至瓦斯管理處擔任抄表人員，53歲時又因職務調整，不幸被解職，最後透過朋友介紹，才轉為現職──計程車司機。

成旺大哥說中年轉職不易，計程車司機雖然入行成本高，必須自備營業車輛，但卻是個肯努力就一定能得到收穫的職業，不過由於多數車行僅提供司機掛牌靠行執業，實際薪水、休假、福利等，都沒有額外的保障，收入的來源全看司機跑車載客所得。

剛入車行的成旺大哥，受到主任指派前輩指導，認識了年紀比他小的竣奕大哥，兩人的年齡雖然相差 15歲，但氣味相投的個性以及同住芎林，使得兩人變成了好朋友，而作為前輩，竣奕大哥也將身為司機需注重的眉角親囊相授，比如加強對道路的嫻熟度、注重服務態度及與乘客的事前溝通、如何避免客訴等，以此減少乘車糾紛。此外，計程車司機也有個不成文的默契，如果連續遇到短程的客人，就會選擇暫時休息或當天直接下班，當作過運，以期望下一趟能遇上長程的客人。

由於居住在芎林，鄰近新竹高鐵站，成旺大哥一開始便駐點在高鐵站排班，每天早上約 7點起床，8點 30分到高鐵排班，迎接第一個高峰，中午吃個便當休息一下，看情況決定是否要去別的招呼站排班，接著一直工作到晚上 8點才下班回家，計程車司機起碼要工作 10-12個小時以上，計程車司機的時間雖然自由，但要賺到足以溫飽且尚有餘裕的薪水，必須以高工時換取，而高工時也對身體負擔帶來相當高的風險。

計程車司機在跑車時，相當消耗體力與專注力，因此法律雖然規定計程車司機可以開至 68-70歲，但成旺大哥說，實際退休年齡還是得視身體狀況而定，「我的孩子其實都各自成家了，如果可以我想做到 65歲就好，到了 65歲，應該也有小孫子

可以抱」；退休後，成旺大哥想用更多時間陪伴家人，回新埔老家走走，專心忙菜園農活，偶爾也像現在一樣和三五好友一起到溪邊釣魚，出國走走，倒也是不排斥利用閒暇時間跑回計程車本業，一個禮拜出勤 3天，開個樂趣當作貼補家用，總比賦閒在家要來得好！

運匠之外，也是農夫和釣客

計程車行並沒有約束司機們的工作時間，成旺大哥每個月給自己一個營業目標，營業額有到了，就可以休息。休息時間最喜歡與兒時的玩伴一同釣釣魚、打打麻將、喝喝小酒，有時也會到菜園裡忙活。

成旺大哥居住在芎林石壁潭，石壁潭與竹東僅隔了頭前溪與竹林大橋，算是芎林的郊區。住家旁有塊約 80坪的土地，平時和太太一同種植季節時蔬、火龍果、檸檬等作物，每天出車上班前及休假日，會先到菜園裡澆水、拔草、施肥，一分耕耘、一分收穫，就如同成旺大哥選擇計程車司機的職業一樣，相信

金保帆布
竹東客
30

-5825178
家市集
客家仙草
青草茶
冬瓜仙草茶
仙草茶
天然製品
養生健康
五峰
霞喀羅
古道
東方
細緻溫和

只要肯努力，就一定能獲得收穫，而成旺大哥也將這份收穫的喜悅，分享給鄰居，讓租菜園的1/3土地，和鄰居一起腳踩泥土、享受自給自足的田園樂趣。

除了種植外，成旺大哥也喜歡在溪邊或池塘釣魚，頭前溪中上游，舉凡芎林石壁潭的員山池塘、橫山的內灣吊橋、尖石的天然谷、青蛙石一帶，都是成旺大哥溪釣及池釣的場所，因為偏向上游的水質乾淨，抓到的魚還可以帶回家加菜。

頭前溪一帶常可抓到溪哥（白哥仔 pag` go` er）、吳郭魚（福壽魚 fug`shiuˇng）、極樂吻蝦虎（狗頷仔 gieu´ngam´er）等魚類，極樂吻蝦虎體型小，成旺大哥喜歡先煎炸再糖醋，酸酸甜甜的口感，讓人回味無窮，而客家人很喜歡吃蝦虎，甚至有個專門捕撈的竹編器具「狗頷笱（gieu´nagm´ ho）」，傳統的保存方法會裝進玻璃罐裡醃漬成肉醬，做成狗頷鹽（gieu´nagm´goi）配飯吃。

不僅僅是釣魚，連料理成旺大哥也不經由太太之手，全權一手包辦，紅燒、煎炸、糖醋，都難不倒他，「我第一次學會煮的菜是炒空心菜、菜脯蛋和乾煎豆腐」，由於父親及哥哥早逝，身為家中排行第二的孩子，成旺大哥自小便協助媽媽打理家事、照顧弟妹，料理也是從那時起習得的技能，「遇到了就要面對」是成旺大哥對於人生的信念，與其抱怨命運的不公，不如起身面對，生命自然會找到出口。

私心推薦的美味名單

身為懂料理的計程車司機，口袋美食名單自然少不了，成旺大哥隨口就能捻來新竹各個鄉鎮的人氣小吃。

在竹北高鐵排班時，成旺大哥常吃經濟實惠的「港式廣記燒臘」，每到中午，總能看見許多上班族在外排隊等候，在高級美食戰區的六家一帶，算是平價、飽足感與美味三者兼具的選擇。

新埔粄條名聲響亮，在老街上每走三步就有一間粄條店，各家湯頭、配料以及粄條口感各有千秋，身為新埔人的成旺大

哥推薦位在消防隊對面，在地人都愛的「老鄉長粄條」，別忘記點上一盤新埔特有、用豬肉混合著番薯粉一同灌進豬小腸的水煙腸（腌腸 shui´rhan`chong），加了番薯粉的水煙腸比起一般的豬肉香腸更脆口，搭配上特調的桔醬或甜辣醬，脆口的水煙腸和酸甜的醬料在嘴裡散發意想不到的風味，沒吃過水煙腸可別說你來過新埔！

芎林也有好吃的粄條，同位於文昌街上的「美濃樓粄條」和「榕樹下麵館」各有擁護者，成旺大哥特別喜歡到美濃樓點上一碗粄條、再切一盤豬頭肉，簡單的搭配卻是最定番的吃法。而到關西絕對不能錯過「曾家牛肉麵」，雖以牛肉麵當招牌，但成旺大哥說絕對不能錯過料多實在的大滷麵和滷得香嫩 Q彈的豬尾巴。

竹東則要往中央市場裡找尋美食，靠近仁愛路和杞林路路口有攤「現作潤餅」，只在星期日營業，千萬要選對日子才能買到，現作的潤餅皮和料好實在的配料是好吃的秘訣。

空車
TDJ·1779

雖然只是是樸實無華的小吃，但卻是客庄經過長期的積累，所展現出的飲食文化特色，下次到這些鄉鎮，一定要試試成旺大哥推薦的美味！

新竹的風，九降風

談起該如何形容新竹，「新竹是個風和日麗、天災少，適合居住的城市」成旺大哥如是說道。在新竹輾轉居住過三個地方，一個是從小長大的新埔，離開新埔後又待過香山、最後選擇定居在芎林，每一個城鎮都有他所愛的理由。

新埔對成旺大哥而言，是從小生長的地方，許多青澀、難忘的回憶，還有青梅竹馬的好友們，讓他覺得新埔特別有人情味；香山、南寮的夕陽非常漂亮，心情煩悶時，望向大海，看著波浪浮沉、夕陽西下，總是最好的解方；芎林則是終老的地方，雖然忙於工作，使得和鄰里間的互動不比在新埔的時候，不過和鄰居一起開拓的開心農場，總能越來越拉近彼此間的距離。

如不能住在新竹，感受這些美好，什麼時候來觀光最好呢？

成旺大哥強力推薦秋、冬季到新竹旅遊，「10-12月來新竹最好，不會太熱，九降風也很舒服」，這個時節，代表新竹特色的九降風起，吹至山邊，催紅了柿子，禾埕裡曬著日頭、等待風乾的石柿多虧九降風的助力，成為新竹秋季風物詩的重要代表──柿餅；吹至海邊，強勁的風帶走米粉和烏魚子內含的水分，搖身一變成為新竹人餐桌上的佳餚。

「當歡喜見著你（很高興見到你，dong´fon´hi`gien do`nˇ）」這是成旺大哥最後想教大家的一句實用客語，華語的意思是：「很高興見到你」，一期一會的相遇，是生命中的偶然，若有機會來到新竹客庄，不妨用這句話，和親切的客家鄉親打聲招呼，感謝機緣帶來的美好相遇、也感謝新竹這塊土地所孕育出的特色文化。

咬薑啜醋煞猛打拼——曾竣奕

文／羅亭雅

跑車地區：新竹縣市　　　　車　　行：新竹第一計程車隊

客語腔調：海陸　　　　　　計程車資歷：7年

工作是為了更好的生活

現年 45歲的竣奕大哥原先在科技廠工作，日夜輪班、做二休二的生活讓他感到疲憊，在朋友的推薦下轉而從事機場接駁司機。接駁司機的工作並不比科技廠輕鬆，作息隨著客人叫車的時間而更動，有時前一天晚下班，午夜過沒多久，就又得驅車載客，甚至還得接受調度到台中支援；長期以往的奔波使得身體逐漸吃不消，而後聽聞在新竹高鐵當服務櫃台同事說，高鐵往來的通勤人口絡繹不絕，便下定決心買車，改行當新竹高鐵排班計程車司機，而今年也即將邁入執業的第 8年。

在新竹高鐵排班可是有特殊規定，須穿襯衫、衣著體面整齊才能申請至高鐵排班，「什麼時候尖峰、什麼時候離峰，我們都知道」，每天早上 8點半至 10點半的尖峰時間，竣奕大哥會駐守在新竹高鐵排班，載著商務客往來園區，下午的離峰時間有時會去巨城、科學園區的排班點等候乘客，偶爾也會迎來車行衛星派車的案子，等到下班時間又開始忙碌起來，頻繁往來高鐵與園區之間，在長長的車陣中奔波。

對於竣奕大哥來說，轉換工作是為了更好的生活，有健康的身體、有時間陪伴家人，「有的司機做 4-5年買了房子、有的司機做 10幾年欠了一屁股債」計程車司機出勤時間雖然可以自由調配，但卻是用大量的時間換取薪水，工作時間平均每天需達 10-12小時，才足以讓生活變得有餘裕，竣奕大哥說曾聽過有司機一個月月入 10幾萬，「那很拚喔！連續 15個小時，但這很危險，哪時候會見閻羅王。我聽過好幾個司機因為太拚，心肌梗塞走了」。

而這樣高收入的背後，是每天工作 15小時，且幾乎沒有休假才有辦法達成，長期以往可是會對身體造成莫大的負擔，因此，為了自己的身體、也為了心愛的家人，竣奕大哥一天工作約 10-12小時，每個月也會維持 6-8天的休假，讓工作與生活達到平衡。

高鐵

計程車司機的眉眉角角

計程車司機首重對於路線的嫻熟及溝通，為了避免路線認知的糾紛，上路前都會盡可能先和乘客溝通好路線。上高速公路雖然快速，但為了繞到交流道，里程數可能會較高；平面道路雖是最短路徑，但紅綠燈多、許多路段有限速，所耗費的時間比較多；「如客人有堅持的路線，就照他的走」，以免被乘客質疑繞路，不然一旦遇到不講理的乘客，可就麻煩了！不僅有理說不清，爭執的期間還會錯失載客的機會，得不償失。

竣奕大哥十分珍惜與看中這份得來不易的工作，對於自身相當要求，不菸、不賭，排除不良習慣，因為看過太多同行因為沉迷不良習慣，導致辛苦賺來的錢和家庭因此破碎。此外，不管是工作還是休閒時間，都必須把交通規則、行車安全視為第一準則，若是一個不小心違規遭到記點，行照可是有可能被吊銷，直接影響生計的呢！

而計程車司機也必須隨時提高警覺，載客時不時會遇到不

可預料的情形，像是得小心有人利用計程車當車手，要避免搭載載送不明貨物到指定地點的要求。有一次公司派的案子是要載人，竣奕大哥到了現場看到一個人站著、一個人躺著，驚覺躺著的人可能是醉到不省人事的酒客，便趕緊掉頭離開。因為跑車最擔心就是載到連自己要去哪都說不清的酒客，不僅容易引發糾紛，酒客還有可能會吐在車上，接下來的幾天甚至會因為嘔吐物的味道無法驅散，而被迫暫停出車。

來者是「客」

「我曾載過來自印尼會講客語的客人」，清末時期，客家人為求生存，紛紛離開中國，往其他國家移居，東南亞一帶因地緣關係，也成為客家人移居的首選，隨著移工及新住民移入台灣，竹東一帶也多了許多來自東南亞的客家人。

除了印尼客家人的特例外，竣奕大哥遇到講客語的乘客約佔 1/4，年齡平均 50歲以上，多是本地人，可惜的是，即使在客家人口比例偏多的新竹，客籍乘客開口第一句仍是使用華語

浪漫台③線藝術季

Romantic Route 3

漂流中，我們築根。

OKEN

鴻梅新人獎

2023

Grand View Emerging Artists Award Exhibition

10.04 — 10.15

中正紀念堂 三樓4展廳

10.15 10/20 10/27

10.05—12.02

居多。

為配合縣政府及客委會推廣大眾運輸工具使用客語，竣奕大哥的車上貼有「**倨講客**」的貼紙，乘客看到會放心的與司機講客語，有時則是聽出司機講華語的口音帶有客家腔，乘客的客家人搜尋雷達才會有反應，互相確認客家人身分後，便會開啟客語頻道，開始閒話家常、親切問候。

行走旅行書

遇到來新竹觀光的乘客，有時還得協助旅遊諮商，介紹有名有趣又好玩的在地景點，幸運的話還能遇上包車的乘客。竣奕大哥特別推薦台三線沿線的景點，從高鐵上高架走 68快速道路，就能用最短的時間抵達靠近山邊的客庄。

68快速道路往東的盡頭連接著台三線，下了 68後順著台三線往北走，可到橫山、關西。一路向北的路上，可見廢棄小學改建而成的「大山北月」景觀餐廳，在環境的營造上保留學校及童趣的元素，除了餐廳外，也提供露營、生態導覽，而園區

約車隊
TDQ

裡販賣的商品也都是和在地小農合作的品項；沿著台三線繼續往北，在畫著桐花、火車、吊橋的馬賽克壁畫處向右轉，是主要通往內灣的入山口，入山口旁有個被稱為愛情車站的「合興車站」，車站的腹地內有販賣文創商品，假日時也有小市集可逛；再沿著山路而上，就抵達新竹人從小到大必去的景點──內灣老街，早期因林業開發而興盛，而現在的老街結合各種元素，有客家味、有文青感、有懷舊風，步行可達的範圍還有 60年代的台灣漫畫劉興欽漫畫館、林業展示館可供參觀。

臨走前別忘了吃竣奕大哥推薦，靠近內灣火車站附近的野薑花粽（rha`giong`fa`zungˇ），客家粽裹上散發清香的野薑花葉，炊煮時花香向街上四溢，吃起來帶有一點清甜；還有一間彭媽媽滷味，原是阿婆在經營，現在由媳婦經營，小小的巷口畸零地攤位，就能吃到超值的美味。

下了 68後相反的路線，順著台三線往南走，則可到竹東、北埔、峨眉。北埔老街是全台古蹟密度最高的老街，「北埔老街就和內灣老街一樣，吃吃喝喝很好逛」，有大隘三鄉開墾的總部金廣福公館、因拍攝《茶金》而受到關注的姜阿新洋樓等，都是著名的景點，也有店家能體驗客家擂茶 DIY，在悠閒的午後嘗嘗客家人的傳統點心；天熱了的話，可以駛離街上，到北埔冷泉泡泡沁涼的泉水，一旁瀑布傾瀉而下的水聲，好似把心裡頭的雜念和熱意都一併帶走。繼續往南走，會到以大佛及湖泊著稱的峨眉，竣奕大哥特別推薦到湖畔咖啡，一邊看著湖景、一邊喝著咖啡，在與世隔絕的山邊湖景，享受自然的平靜。

一南一北的台三線定番順遊路線可是竣奕大哥的壓箱景點，每當有客人問起遊玩建議，他都非常樂意分享，並帶乘客走入客庄。據說這套路線也搭載過兄弟飯店的董事長呢！

計程車司機百百種，「每個人開計程車的心態不同，有人是做開心地想找事做、有人為了生計、有人把它當作兼職增加外快的一個選擇」。

「雖然不能大富大貴，但維持生活溫飽絕對沒問題」，為

了生計，計程車司機是個不錯的職業選擇，談到幾歲想要退休，竣奕大哥說可能做到最後一刻才退休吧，不過未來的事誰也說不準，說不定哪一天會自己出來創業，也或許家裡會迎來新成員，經濟的負擔加重，需要更加努力打拼也不一定。

新竹旅遊介紹

新竹市、竹北市地圖

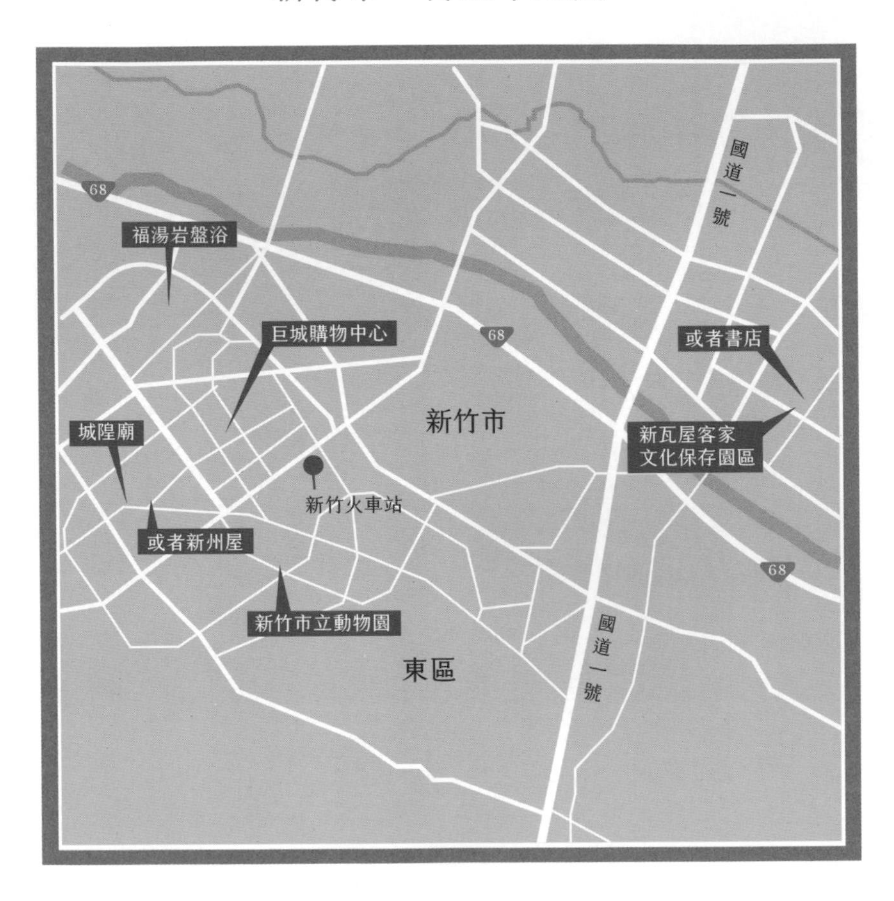

Big City遠東巨城購物中心

地　　址：新竹市東區中央路 229號

開放時間：11:30-21:30（一、五）、11:00-22:00（六、日）

1913至 1952年期間曾為新竹糖廠廠區。2003年改建為風城購物中心。2012年又轉身為遠東巨城美式購物中心。

新瓦屋客家文化保存園區

地　　址：新竹縣竹北市文興路一段 123號

　　台灣第一個客家文化保存區，保留了 200多年前以祠堂為中心、一堂兩橫的合院建築所形成的核心式聚落形式，更還原了客家農村景致。

或者書店

地　　址：新竹縣竹北市文興路一段 123號

開放時間：週一、週四 ~周日 10:00-18:00

　　位於新瓦屋客家文化保存區。鴻梅文創製業於 2017年成立的獨立書店，並生活選品和蔬食餐飲的複合型態營運，希望連結在地居民。所以店內有許多客家的書籍。

湖口好客文創園區

地　　址：新竹縣湖口鄉中平路一段 510號

開放時間：8:00-16:30（週一至週六）；10:00-17:30（週日）

以客家傳統文化打造園區。復刻兩座客家特色圓樓，具備客家民俗古禮堂、神農大帝祈福平安館、農產交流之社區小舖、傳藝教室、義民廳、記憶拼圖館等七大主題及八項特色景觀。

南寮漁港

地　　址：新竹市北區新港四路

建於民國 70年。隨著魚源的枯竭，自民國 93年起，轉變成休閒為主的港口。

或者新州屋

地　　址：新竹市東前街 16號

開放時間：11:00-22:00（週三至週日）

前身是昭和 9 年（1934 年）於新竹開業的首間百貨公司「新州屋」。2023年 11月重新開幕。以「地酒」、「地醬」為主題，搜羅台灣在地的好滋味。

福湯岩盤浴

地　　址：新竹市北區大雅路 88號 B1

開放時間：09:00-24:00（週三），其他日 24小時營業

全台最大「日本乾式溫泉會館」。提供 3種岩盤浴、芬蘭浴及冷卻下雪房，還設置休閒空間，內有近 5000冊藏書及沙發、吊床等配備。

城隍廟

地　　址：新竹市北區中山路 75號

開放時間：05:00-22:00

為臺澎地區唯一的省級城隍廟，又因顯靈禦匪有功，光緒皇帝頒賜「金門保障」匾額，其後陸續獲歷代皇帝封贈，成為全臺官位最高的城隍爺。周邊市集小吃攤林立，是新竹特色文化之一。

新竹市立動物園

地　　址：新竹市東區食品路 66號

開放時間：09:00-17:00

於 1936年創立，是目前臺灣原址現存最老的動物園，面積約 2.7公頃，舊大門、噴水池和黃魚鴞欄舍仍是最初興建時的樣貌。

關西、芎林、新埔地圖

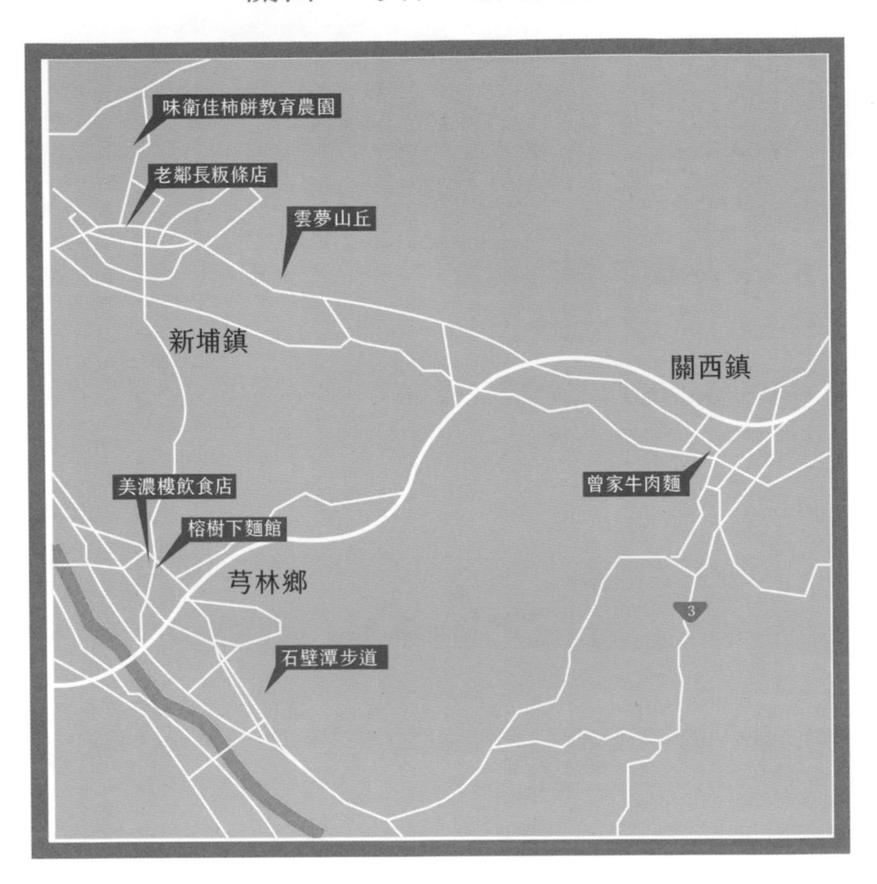

曾家牛肉麵

地　　址：新竹縣關西鎮光復路 27號

營業時間：10:00-14:30（週六、週日公休）

位於關西老街上。湯頭濃郁不油膩，肉質佳。麵可更換為傳統粄條。

味衛佳柿餅教育農園

地　　址：新竹縣新埔鎮旱坑路一段 283巷 53號

開放時間：08:00-17:00

堅持傳承百餘年的柿餅製作技藝，以日曬乾燥、木材燒烤、揉壓等一連串繁複製作過程，製作出高品質的柿餅。

新埔 雲夢山丘

地　　址：新竹縣新埔鎮新關路五埔段 600號

開放時間： 09:00-18:00（週六、週日）

位在新竹縣新埔智能生態園區。由台開集團經營。有茶花園、蘭花園、溫泉泡腳池等，還有上百隻孔雀，以及大師級建築師隈研吾設計的雲水觀。

老鄉長粄條店

地　　址：新竹縣新埔鎮廣和路 3號

開放時間：05:00-13:20（週五公休）

位於新埔消防局對面的無名粄條店。因此也有客人習慣叫消防局粄條。

石壁潭生態步道

地　　址：新竹縣芎林鄉石潭村

原是運輸農產品之用的產業道路，地主無償提供土地給縣政府建設環狀生態步道。

芎林榕樹下麵館

地　　址：新竹縣芎林鄉文昌街 123號

開放時間：06:30-14:00（週二公休）

超過百年歷史。原本是在廣福宮門口的大榕樹下擺攤。除了粄條，許多人推薦臭豆腐。

美濃樓飲食店

地　　址：新竹縣芎林鄉文昌街 214號

開放時間：05:00-13:30（週一公休）

客家百年老店。從清末民初創始。起初用手推車叫賣。已傳承至第五代。主打純米粄條。

新埔 九芎湖步道群

地　　址：新竹縣新埔鎮 162號六鄰（導航：照門休閒農業區）

由九福古道、觀南古道、霽月步道組成。古道皆為早期的農路。三條步道串連走一回，可以環遊九芎湖周遭山巒，欣賞群山環繞的美景。

清香飲食店

地　　址：新竹縣關西鎮中豐路一段 422號

營業時間：11:00-19:10（週一公休）

創店於 1934年，號稱全台最老字號的客家餐館。已傳承至第四代。

竹東、北埔、峨嵋地圖

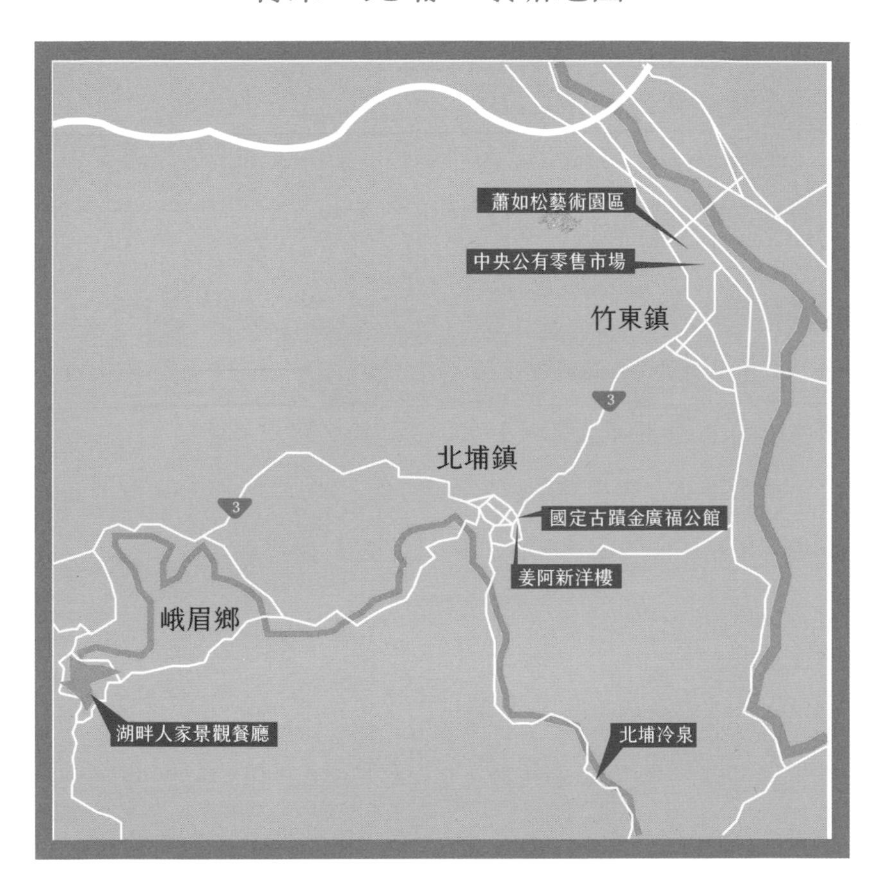

國定古蹟金廣福公館

地　　址：新竹縣北埔鄉中正路6號

開放時間：10:00-12:00、13:00-17:00（週二至週日，預約制）

清代時期，閩南人和客家人進入北埔地區括墾，組成「金廣福」墾號進駐，合資建立金廣福公館作為拓墾組織總部及隘防指揮中心。是現今全台碩果僅存的公館建築。

北埔老街

地　　址：新竹縣北埔鄉北埔街

開放時間：09:30–17:30

短短 200公尺內坐落了 7座古蹟。見證漢人的移墾歷史，以及早期客家人與北台灣原住民的衝突關係。

姜阿新洋樓

地　　址：新竹縣北埔鄉北埔街 10號

開放時間：10:30-12:00、13:00-17:00（週六、週日）

著名茶商、姜秀鑾後代姜阿新於 1946年所建。見證了北埔茶業的發展歷史，因客語時代劇《茶金》而爆紅。

北埔冷泉

地　　址：新竹縣北埔鄉外坪村

與蘇澳冷泉並稱全台唯二的冷泉。是罕見的碳酸與硫磺共生泉。

竹東 中央市場

地　　址：新竹縣竹東鎮仁愛路 360號

開放時間：06:00-12:00、16:00-21:00

全台灣最大的客家傳統市集，已有半世紀的歷史。在這裡可以品嘗到每日限量手工製作、遵循傳統製法的客家美味及古早小吃。

蕭如松藝術園區

地　　址：新竹縣竹東鎮三民街 60號

開放時間：10:00-18:00（週二公休）

　　原籍北埔鄉的當代水彩畫家蕭如松，於新竹第一公學校執教時曾居住於此，故以他的故居作為藝術園區。

峨眉湖畔人家

地　　址：新竹縣峨眉鄉湖光村十二寮 21-8 號

開放時間：12:00-17:00（週四公休）

　　原是一對公務員夫妻的退休後別墅，因坐湖畔天然美景，後來便改成咖啡廳經營，大方與遊客分享這裡的自然風光。

橫山、尖石地圖

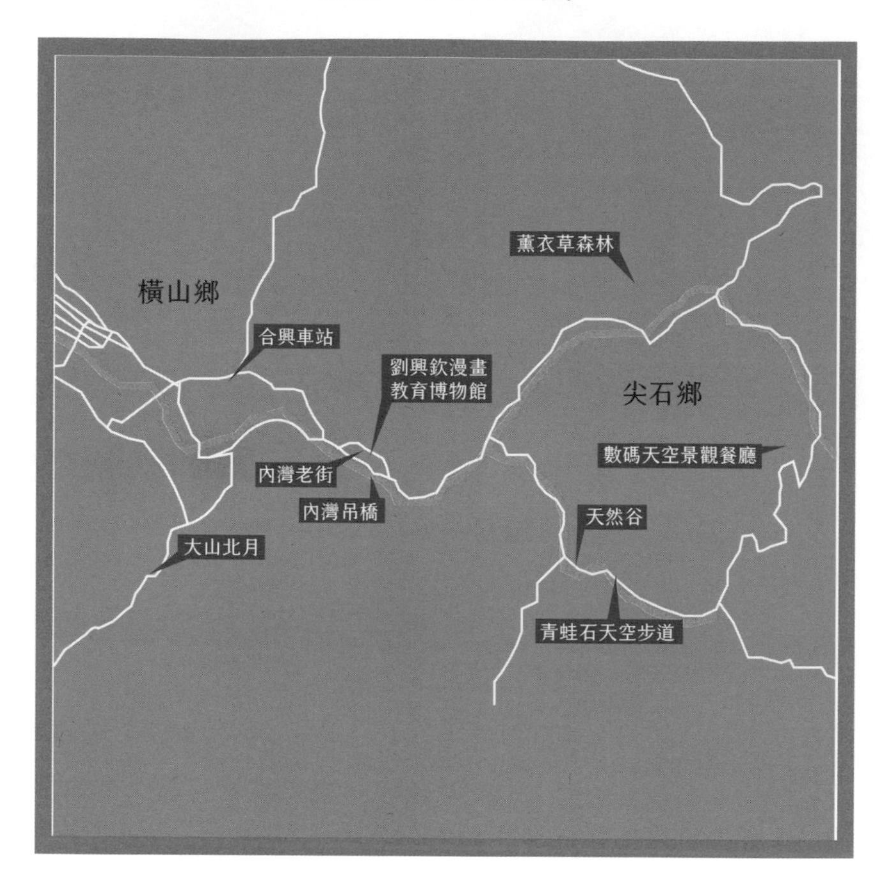

合興車站

地　　址：新竹縣橫山鄉中山街一段17號

原以運送石灰石至台泥竹東廠為主。是全國唯一的「折返式站場」。曾經差點被廢棄，後來被一對在火車上認識的夫妻認養，因此有了「愛情火車站」美稱。後由薰衣草森林進駐，打造愛情景觀園區。

內灣吊橋

地　　址：新竹縣橫山鄉中正路 7號

民國六十幾年建造，連接尖石鄉的泰雅部落與另一邊的內灣客家聚落。是早期當地唯一能與外界聯絡的重要橋梁。

內灣老街

地　　址：新竹縣橫山鄉中山街二段

開放時間：10:00-18:00

早期內灣老街是進出盛產林木及礦產的尖石山區最主要道路，隨著林業及礦業的產業沒落，內灣的盛況也由嘈雜歸於平靜。居民以客家族群為主，近幾年成為新竹熱門觀光旅遊景點。

劉興欽漫畫教育博物館

地　　址：新竹縣橫山鄉內灣村 3鄰 110號

開放時間：09:00-16:00（週二公休）

國寶級漫畫大師劉興欽是橫山鄉人，設有劉興欽老師的相關作品為主題的文化展館。

彭媽媽滷味

地　　址：新竹縣橫山鄉中正路 53-55號

開放時間：10:00-18:00

位於內灣老街。開業 20幾年。與中藥店合作配製的滷包滷製素食滷味。

大山北月景觀餐廳

地　　址：新竹縣橫山鄉大山背 80號

開放時間：10:30-16:30（週一公休）

由廢校 30年的豐鄉國小改建。餐點結合「臺三線」新竹特色美食。同時提供露營場地，配合季節舉辦生態導覽或賞螢等活動。

羅媽媽野薑花粽

地　　址：新竹縣橫山鄉內灣村中正路 89號

開放時間：10:00-17:00

位於內灣老街。以新鮮的野薑花作為香料，不同於一般用野薑花根和莖晒乾研磨成野薑花粉，目前是首創。

尖石 天然谷

地　　址：新竹縣尖石鄉天然谷 25號

開放時間：08:00-18:00（週一至週五）

　　　　　08:00-20:00（週六、週日）

為北泰雅原住民紋面文化生活圈。經檢測，發現泉質富含豐富的碳酸氫根，又極其罕見同時含有硫磺與鈉。

數碼天空景觀餐廳

地　　址：新竹縣尖石鄉煤源 10鄰 145之 1號

開放時間：09:00-18:00

於海拔 1,200公尺高山上，能眺望尖石群山。以玻璃帷幕打造主體建築，讓美景 360度一覽無遺。

尖石青蛙石天空步道

地　　址：新竹縣尖石鄉錦屏村 8鄰 27號

開放時間：08:30-17:00

以一顆像青蛙的岩石著稱。步道盡頭有一座全透明玻璃打造的「彩虹橋」，也就是「天空步道」，站在步道的「圓形玻璃觀景平台」可以觀看底下那羅溪的河道溪谷。

薰衣草森林新竹尖石店

地　　址：新竹縣尖石鄉 129號

開放時間：10:30-18:30

坐落在油羅溪旁的森林咖啡館。園區內設置了香草園，依照不同季節規劃薰衣草、香草植物或花卉主題活動。

客語小教室

單字 / 句子	客語拼音	腔　調
做得講客話無 （可以說客家話嗎？）	zoˇ ded gong´ hag faˇ mo?	海陸腔
你當後生（你好年輕）	ngi dong`heu+ sang`	海陸腔
新竹有當多好尞、好食个 地方，歡迎大家來尞 （新竹有很多好玩、好吃 的地方，歡迎大家來玩。）	sin`zhug rhiu` dong` do` ho´ liau+、ho´ shid`gaiˇti+ fong`, fon` ngiang tai+ ga`loi liau+	海陸腔
愛食飯喏（要吃飯喔）	oi siid fan ho`	四縣腔
當歡喜見著你 （很高興見到你）	dong´fon´hi`gien do`ngˇ	四縣腔
水煙腸	shui´rhan`chong	海陸腔
野薑花粽	rha`giong`fa`zungˇ	海陸腔
白哥仔（溪哥）	pag` go` er	海陸腔
福壽魚	fug shiu+ ng	海陸腔
狗頷仔	gieu´ngam´er	海陸腔
狗頷醢	gieu´ngam´goi	海陸腔

第三章
苗栗計程車司機

苗栗計程車的樣貌相較桃園和新竹單純許多，主要以火車站和高鐵排班計程車為主，特別在頭份、竹南等工業區乘客為最大宗。也因城鄉發展的差異，苗栗在多元計程車發展上不像桃園、新竹興盛，更可以發現苗栗的計程車司機多了一份質樸的感受。

臺灣相對公共運輸不發達、交通不便的鄉村市鎮，當地的白牌計程車數量會遠高於一般合法的計程車。最主要是白牌計程車機動性高、收費相對較低廉，在市場供需機制下就容易興起，這也明顯表現在桃園、新竹與苗栗臺三線沿線鄉鎮上，這些相對高齡化的地區，長輩與地域人脈的關係緊密，所以以熟客為主要客群的白牌計程車需求就會較高。

合法與非法的計程車，主要差異在乘客的安全是否受到保障，如果乘車中途發生意外或產生消費糾紛，往往會投訴無門。同時白牌車也沒有跳錶計費的方式，大多是依照目的地距離由司機自行拿捏，雖然有時候會比合法計程車跳錶計費便宜一些，

但也常會遇到車資更貴的情況。且司機品質相對不一，很仰賴搭乘時的運氣喔！

苗栗計程車行：

（一）苗栗大都會計程車

（市話：037-770-456，手機直撥：55178）

往物產豐饒處前行——王杏輝

文／江怡瑄

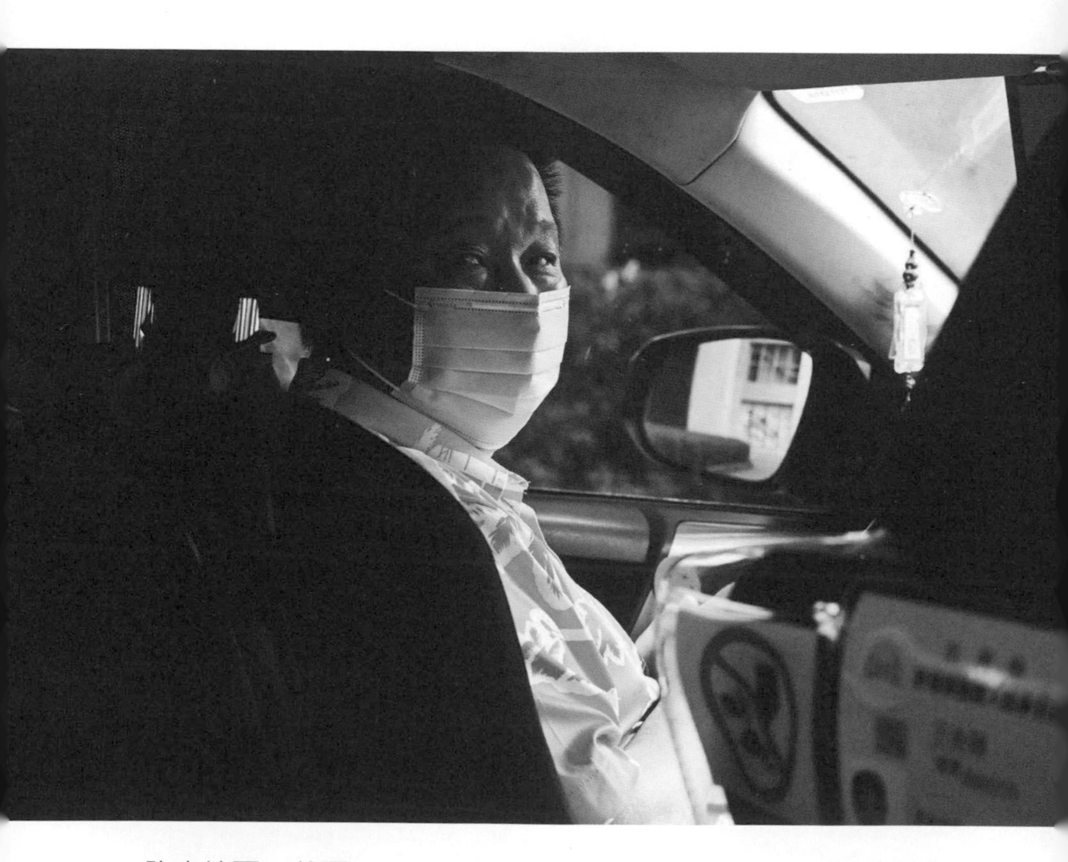

跑車地區：苗栗

客語腔調：四縣

車　　行：大都會計程車

計程車資歷：8年

方向盤外的故事

一手還握著手機通話，一邊朝玻璃窗內的我們招手，進門前雙眉微皺，放下話筒則慈眉善目地笑著。

杏輝大哥從事計程車業已有八年，六十一歲，仍是健康、硬朗的年紀。身高中等，有著微凸的腹部，笑起來雙頰鼓起，膨潤光澤像是拋光的彌勒。在手機行興盛的年代，他與妻子經營一家店，專做電話、手機系統，收入豐厚，一家人生活優渥。日子如常，某天妻子無預警提出離婚建議，杏輝大哥當時雖一頭霧水，卻也不想逆鱗，一張協議書簽著兩個人的名字，生意也開使走下坡。

只說是緣分盡了，二十五年來的攜手，在此劃下句點。他沒有因此失志，毅然決然轉行，計程車起步，開向新的人生。

豐盛食糧，豐盈善念

「我也救過人啊！」此話一出，我們不得其解。「有客人在路邊攔車，說他迷路了，可是沒有錢。後來他指了很多方向，繞了好幾圈，我也沒跟他收錢。」杏輝大哥有點感慨，一邊說：「能幫忙當然就幫。」也曾遇過一對母女叫了車，往深山走，也是說身上沒錢，杏輝大哥堅持不抵押證件，爾後也不找到人還錢。「隨緣吧！」這樣的事總是找上他，也許他真是救人於苦難的「菩薩體質」。

「苗栗，好山好水啊！」從年初熱鬧的大湖草莓季開始說起，苗栗盛產水果，舉凡水梨、甜柿、紅棗，每個季節都各有特色。二、三月可以到銅鑼看滿牆盛開的炮仗花；四、五月是人盡皆知的桐花季；六月可食西瓜、香瓜、花生；七月到公館採紅棗；八月大啖西湖文旦；九、十月，吃多汁的梨子和葡萄；到了十二月，橙黃橘綠，柑橘最是美味。

在地苗栗人都知道，無論幾月到此，都有得吃，有得玩，尤其山水與天賜的豐盛糧食。

山海交織的五感享受

「苗栗進步很多啦，現在還有風箏節，每年元宵節，**『熣』**

龍遊街，吸引不少觀光客。」說起苗栗觀光產業，杏輝大哥對自己的家鄉有信心，滔滔不絕地細數山海線的旅遊景點，我們也跟著他的精彩描述，繞行苗栗一圈。

「來觀光的客人大多有自己想去的點，或也會要我介紹。我就會跟他說啊，海線、山線你想去哪裡？」根據客人的喜好，安排適當的行程，杏輝大哥的體貼，讓乘客賓至如歸。櫻花季的時候，若是不嫌山路遙遠，可以開車直上獅潭的協雲宮，在雲霧繚繞的山頭，走一趟櫻花步道。離開苗栗市，泰安派出所也是賞櫻好去處，順道經過鄰近的落羽松林，再到溫泉區感受煙霧溫暖的擁抱，平日累積的疲勞一掃而空。

沿著海線走，朝著通霄去，往飛牛牧場享受親子時光、到白沙屯拱天宮朝聖，是最多人的觀光選擇。想飽覽一望無盡的美景，或者享用海鮮——後龍好望角、竹南龍鳳漁港都是休閒好去處。杏輝大哥眉飛色舞地，把苗栗地從北到南介紹一遍，我們也聽得津津有味。

大都會

桂花

問他哪裡能吃到道地、美味的客家小吃，杏輝大哥明白指路：「南庄的桂花巷啊，可以去吃『漉湯粢』。」漉湯粢用糯米製成，既像湯圓也像麻糬，稍稍壓扁，中間戳凹一個小洞，撒上花生碎與糖水，經典米食就能上桌。除了米食，清安豆腐街有多樣化的豆腐產品，從臭豆腐到豆花，讓整條老街充滿清香豆味，陣陣油煙與雲霧悄悄揉和，石板地面微反潮，老街風情盡收「眼底」和「胃裡」。

他的家，那個模樣

「開車很自由啊，沒有排班的時候就會帶著女朋友出去玩、吃東西。」稍不留神，「女友」二字從大哥喉嚨深處蹦出，說得很輕巧，卻充滿濃濃憐愛之情。家裡還有高齡父親，女友是家中原先照顧父親的移工，來臺工作十三年，五年前因對方叫車認識。日久生情，杏輝大哥笑瞇了眼，爽朗地說：「那時候我就問她，我娶妳好不好？但是我的孩子不贊成，他們覺得，這樣家庭就不完整了。」雖然已經和妻子離婚多年，孩子們仍留戀有父母親的那個完好的家。

一百個人之中，就有一百種家的樣態。大哥輕巧地說出兒子已過身（過世，go siin´），從他臉上難見悲傷，一字一句卻仍深深打動聽者之心：「有時一天跑三趟機場，之前是早上六點到晚上十二點，我父親車禍、兒子往生後，就工作到晚上五點，有預約機場還是會跑。」為了家人，他打起十二萬分精神，賺錢、養家。

杏輝大哥看似豁達，其實是在歷經風霜後，將一顆破碎的心寄託於遊樂，並決定繼續相信愛與溫情。

短暫沈默後，大哥再次撐起膨亮的雙頰，說回到美食，他的精神又來了。獅潭有名的仙草雞、炸仙草，仙草茶，都是清心降火的首選。小點之外，他更懂得「高級享受」：「客人指定去『高山青』吃鱘龍魚、鱒魚，到了花季去看滿開的繡球花。」高山泉水養出來的漁獲，必定清甜美味，

高鐵特約車隊

樓
中心

「阿伯」的車上談心時間

「老一輩客人上車會講客語，有貼『倨講客』貼紙的話，客人會主動跟我講客家話。或是客人聽我的口音，也會主動講客語。」客語是老一輩人的專利嗎？杏輝大哥補充：「年輕人也會主動說客語啊，會跟我講心事，我也會跟年輕一輩的講講道理。」有些年輕人不願意回家，有些在車上講髒話，他便自稱「阿伯」，勸他們不要跟家人疏遠。開車也能成為心理教化所，這是杏輝大哥獨有的個人魅力。

多年來，培養出不少熟客，有從香港移民到苗栗的，也有缺乏家庭倚靠的年長者。跟老一輩的客人談心，話題又是另一個境界：「他說家裡有九台車，但是自己都坐不到，年輕人說上班辛苦，休假不想動。叫這個就推給那個。還是叫計程車比較好，不要靠任何人，靠鈔票比較實在。」苗栗地區高齡化現象嚴重，老年問題日趨攀升，青銀共居，和家中「後生」的相處也隔著一道牆，計程車成了老年生活的交通選擇。

出外，一個人唱歌

「我想要在六十八歲的時候退休，如果身體好，想要去環島。」每天走路一兩個小時，排班空檔會下車繞著高鐵站走。他和另一位受訪者「鑫東大哥」是一起運動的好夥伴，邊走邊聊，同時將截至今時為止的人生點滴倒進對方耳裡。

運動之外，沒有客人時偶爾偷空，在車上聽音樂、睡覺，把車裡頭佈置成自己的小窩，沈浸在小小世界裡。

「我不菸、不酒、不吃檳榔，省這些錢下來可以吹冷氣。」杏輝大哥再次笑瞇了眼，這樣的小確幸，就足以讓他感受到生而為人的美好。聽音樂的興趣很廣泛，從中國滄桑的啞嗓，到日本風情的臺語對唱，他都能一一細數。最近很喜歡的是謝宜君、楊哲唱的——〈你哪會不識我〉，哼個兩句，就能享有一人世界的舒適美好。

曾經也到社區歌謠班學客家歌曲，偶爾也看客語節目聽人唱歌。後來因為要照顧爸爸，減少去歌謠班的次數。從歌謠談

M
大都會車隊
計程車
在此服務
手機直撥
55178
掃QR碼免費下載
大都會叫計程車APP
叫車免話費
計程車乘車區
Taxi pickup area

M
大都會車隊
計程車
在此服務
55178
叫車免話費
高鐵排班計程車

到客語認證，他認為檢定裡頭的學習，跟生活用語差異較大。和多數客語使用者想法相近，土生土長客家人不需要再一層認證。年輕人考照則可以從事教學，讓更多人認識多元語言。

末了，我們請杏輝大哥教學一句觀光客與，他一貫微笑著說：「頭家，算便宜一點唷！」帶著前傾姿態與手勢，咖啡館搖身一變成為風情萬種的老街，在他爽朗的笑聲中，一陣雲霧傾瀉而出，緩緩蔓延開來。

在山的縫隙間自帶光芒——何鑫東

文 / 江怡瑄

跑車地區：苗栗　　車　　行：大都會計程車

客語腔調：四縣　　計程車資歷：6年

高鐵初相遇

山城的高鐵站人來人往，車次廣播聲不歇，人聲嘈嘈切切，說是靜謐太奢侈，卻也不似都會區鼎沸。

斜背著小巧的旅人包，身著天藍底花襯衫——帆船、椰林，十足熱帶風情。下著黑長褲，鑫東大哥踩著俏皮的步伐，走進高鐵站內的星巴克，與今日來訪的我們會面。

「大哥要喝什麼？」「喔，都可以！啊，拿鐵，拿鐵好了。」每間或高檔或平價的咖啡館必備的飲品：平凡，但足以代表在地風格。

這是鑫東大哥給我們的第一印象。

今年五十二歲，入行六年，曾經從事室內設計，也經營過相館。現在的他，仍對拍照有濃厚的興趣：「但我不專程帶相機出門，看到喜歡的景色，手機隨意拍下來，也就很夠了。」大哥一邊滑開手機相簿，一邊向我們展示他豐厚的成果，喜歡旅行，喜歡拍下自然的模樣，每天固定健走一萬步，偶爾游泳、騎騎腳踏車，這是鑫東大哥的日常。

賞雪、吃在地——農業大縣的優勢

「你知道『雪見』嗎？濃霧來的時候幾乎看不見，但我喜歡偶爾這樣上山走走。客人問的話，我也推薦他到那裡去。」雪霸國家公園中的「雪見遊憩區」，海拔約六百到兩千六百公尺，冬天可見稜線上白雪皚皚，因而得名。

在他眼中，苗栗四季皆美——春天不農忙，萬物生息，可見四月桐花五月雪；夏季七月吃三灣梨；近秋八月大暑後收穫公館紅棗；依冬時節，十一月杭菊正盛，也應當上雪霸「見雪」；來年快要開春之前，走一趟大湖摘草莓，一年過去，也就心滿意足了。

苗栗為臺灣重要的農業大縣，雖說山多田少，農業產值仍居高不下。近年多發展休閒農業，舉辦主題旅遊、在地美食品嚐、節慶活動，並開發多樣化的伴手禮，供到訪的遊客選擇。舉例而言，公館紅棗遠近馳名，農會推行紅棗節——「棗到公

M
大都會
更好
28022

館」活動，與在地水圳文化結合，增加媒體曝光度與體驗多樣化。

農作物帶來的產值為苗栗觀光注入活水，同時，也讓地方與天地共生息，在日頭升落間，找到最自在的生活方式。

「不只是」一個計程車司機

開了六年的計程車，遇過的客人形形色色，從年輕少壯到佝僂白髮，只要上車，鑫東大哥都能「待客如家人」。撇開一個計程車司機的身分，他平凡，也不凡。

談到印象最深刻的一次載客經驗，鑫東大哥歪著頭思考，久久吐出一個故事，還是與山林密切相關。那次，一對約莫七十來歲的年邁夫妻從高鐵站包車遊苗栗，再前往谷關健行。大哥善意提醒：「那條路不好走喔！你們確定要去？」賺錢要緊，但人性是鑫東大哥更在乎的原則。客人堅持前往，大哥爽快地說：「我等著也無聊，不如跟著你們上山吧！」果不其然，婦人體力難以支持，走到半路忽然腿軟，鑫東大哥趕緊上前去

M
大都會
28022

扶，一路陪伴下山。

回到高鐵站，夫妻給了比議價時更多的報酬，「我不好意思收，但他們可能覺得很感謝吧，堅持要我收下。」他的眼神飄到咖啡館的大櫥窗外，若有所思，想必是一場難以忘懷的人情交流。

單純與慵懶，絕對美味

「小時候家庭條件差，過得很窮苦，但那時候的飲食非常單純。」老家在大湖，我們請大哥推薦「巷口美食」，他笑著說：「我覺得最豐盛的是自家種的青菜，配一碗白飯，這是最棒的。」後來一家搬到三義，除了著名的「賴新魁」、「金榜」麵店，他有自己的私房店家——「彭城堂」。雖非人盡皆知的名店，但老闆每日用新鮮大骨熬製的湯頭，鹹香油亮，喝一口便能唇齒留香。或許是同樣純粹的美味，所以讓他念念不忘，開著車無論到哪，都是「家」的滋味最好。

085
TEA·7113

當心行人
客運轉運站

2023/09/27 15:24:58
15:24

「給苗栗的形容詞喔......」一貫地看向遠方，再拉回視線到眼前那杯拿鐵：「應該會是『慵懶』吧！」大哥說，苗栗跟宜蘭很像，交通不致於壅塞，空氣清新、環境乾淨，民風也淳樸。「那就是真善美。」他補述，身為苗栗人，感到無比自豪。雖說有時也認為「好山，好水，好無聊」，但他保持樂觀天性，在家鄉一面陪伴母親，一面工作，更享受遊山玩水，在山城自得其樂。

在車外的，我們家

問他為什麼拿苗栗跟宜蘭相比，大哥難得低下頭，害羞地笑說：「我另一半在那啊！」太太家族在宜蘭經營櫻桃鴨事業，他經常兩地往返，更能發現青山綠水的相似之美。

談及家庭，大哥的育兒觀念既開放，也很講究原則：「我有三個孩子，一個在高雄，一個在臺北，還有一個在澳洲遊學。我都跟他們說，爸爸只供你們到成年之前，成年後請為自己負責。」對孩子理想的絕對支持，同時也希望他們將人生的重責大任掌握負在自己肩上。「我自己也是這樣子啊，覺得什麼有趣就試試看，開計程車也是這樣的想法。」自由、開放，承擔後果，然後為自己的人生負起責任，是大哥面向世界的姿態。

他解鎖手機，找出三千金的照片，眼睛盯著屏幕，食指向右滑動：「你看，這是我大女兒、二女兒，喔這是三女兒！」說到孩子，眼角藏不住地父愛，與滿滿的驕傲。三個孩子出門在外，客語能聽懂，但「說」卻有一定地困難。年輕一輩的客家身分已然成為可有可無的標誌，語言的保存變得岌岌可危。

「二女兒倒是說得流利，能跟他阿婆對話。」沒有特殊原因，大哥說就是「緣」吧，緣分，是人跟人之間最神秘也最靠近的特殊力量。

用簡單的方式做複雜的習題

有時載到年長的客人，一上車就用客語說出目的地，或許語言使用已成為生活中的習以為常，大哥認為並沒有特別的感覺。「反而是到了外地，無意間聽到人家說客語會很有親切

感。」比如某次到夏威夷，聽到旁邊拍照的遊客用客語對話，才發現是苗栗同鄉。飛越地球半圈，才確認對方的存在，於異鄉以同樣的語言辨認彼此，多了一層難以言喻的溫情。

「如果有一天，把客語從生活中抽離，會不會對你有什麼樣的影響？」我們大膽作出假設，專注看著鑫東大哥，小心求證一個虛構的結果。他一時意會不過來，眨著圓圓的雙眼，頭傾斜的角度高深莫測，想到一個最實際的困境：「如果我不會講客語，要怎麼跟我母親溝通？」大哥的回覆總是出人意料，不曾想居然如此「落地」。被反問的我們，恍然大悟。「如果發生在計程車上，搞不好還會產生消費糾紛，方向沒有搞懂，溝通就會發生問題。」假設性的「語言問題」落實到日常之中，在他眼裡，人與人之間的橋樑搭得歪七扭八，各種困境自然浮現。

「怎麼解決喔！我可以問『哥哥』啊！」他從沒提過手足，輪到我們滿頭問號。大哥頑皮地笑著說：「大家都有的哥哥，

會
更好
178
起出發
八四客

『谷哥』。」相視一笑，爽朗的幽默混合著咖啡香氣，凝成我們跟大哥的一種默契。人手一機的時代，許多人手持「蘋果」卻不一定物盡其用，山城裡的人用最單純的思維，解開最複雜的謎題。

語言作為與人溝通的媒介，鑫東大哥與世界溝通也依賴於此，卻也能有所進退。

在山的縫隙間

談到這個行業帶來的成就感，他說得精簡：「更熟悉苗栗吧！」簡短幾個字，富含多重意義。生於斯，長於斯，熟悉鄉土，卻因為這份工作，對土地上的人事變化更加瞭若指掌。也因此能給客人更多的旅遊建議。依照來客的屬性，給予多面向的個人化路線。

臨別前，大哥教我們幾句觀光時常用的客語：「頭家，這个仰般賣？（老闆，這個怎麼賣？）」想殺價，還可以多說一句：「恁貴（這麼貴），算便宜一點啦！」最常用的還是「按仔細」、

「承蒙」，客庄老闆聽到客家話，必定覺得親切，人與人間的距離自然就更靠近一些。就像那年他到夏威夷，一聽見客語，就辨識出同鄉，那樣的親密感。

「走囉！」像是對朋友的瀟灑道別，旅人小包上肩，逕自向香氣最濃郁處行去。當他走入人群，與其他的藍襯衫融在一起，我們才驚覺「啊！那是車行的制服啊！」完全不違和的熱帶風格花襯衫，簡直是他衣櫃中信手拈來就存在的服裝。

不菸、不酒、不食檳榔，他健康養生，自在來去。是一縷穿梭在山的縫隙間的自由靈魂：風趣、細膩，溫暖且富有人性。

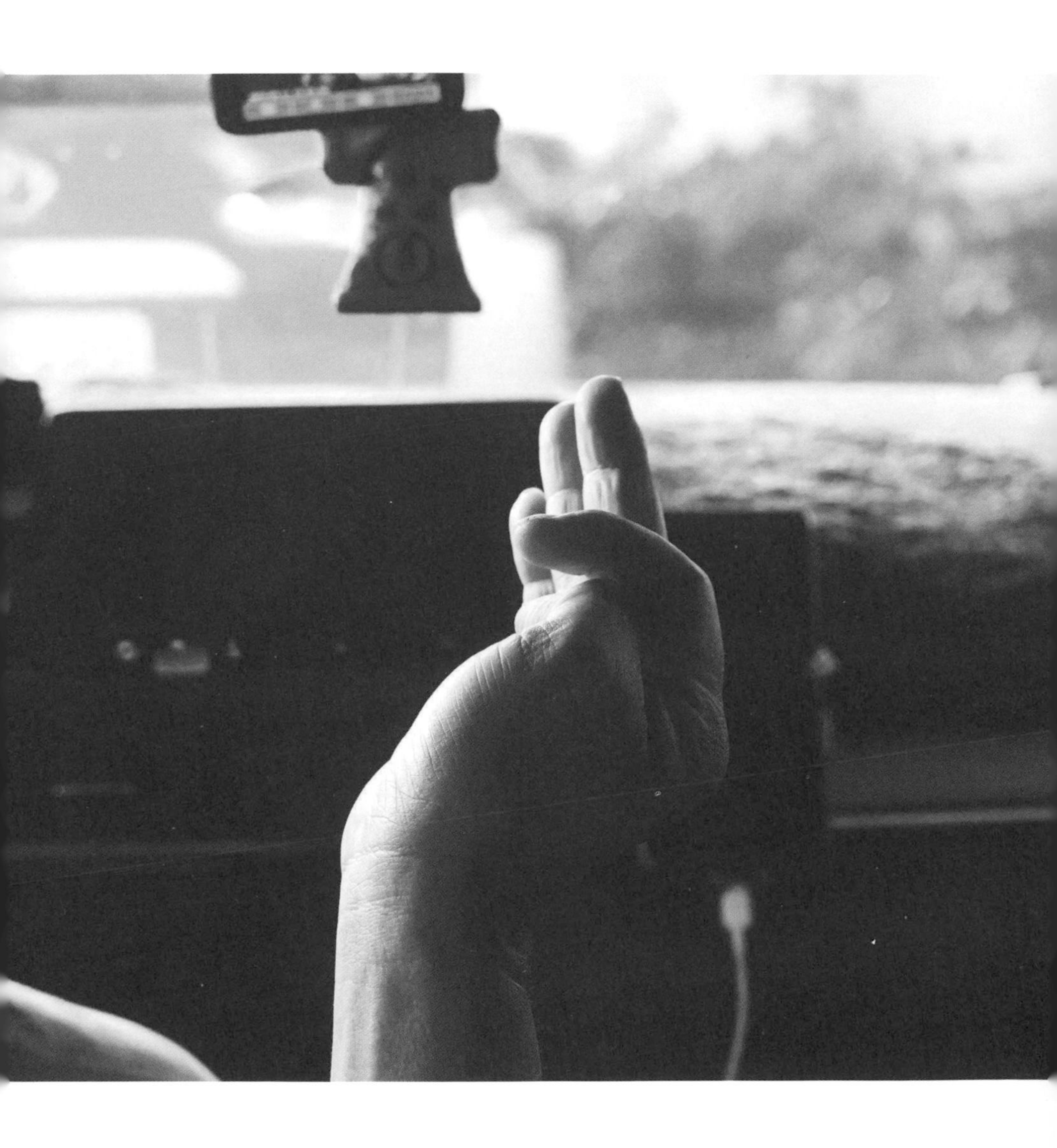

資深客家媳婦的「龍蛇話」？——張佩芝

文／江怡瑄

跑車地區：苗栗

客語腔調：四縣

車　　行：大都會計程車

計程車資歷：1年

「我覺得孩子的陪伴很重要，有任何比賽，我都不想缺席。」三十四歲，有著大眼、濃密睫毛，年輕的芝芝已有四個可愛的孩子。兩男兩女，老大的專長是棒球，二女兒則喜好壘球。因為不想錯過小孩的光榮時刻，她選擇從站務轉為司機員，一年多來，相對自由的跑車生活，讓陪伴孩子成為日常。

老家在泰安，國小時搬到苗栗市，在客庄認識先生，就此定居下來。

「哇！女司機欸！」身為女性司機，許多客人上車的第一句話通常如此，成為芝芝和乘客互相攀談的前導話題。但也有令人膽戰心驚的時刻：「已經深夜了，一個客人上車，他戴著鴨舌帽、口罩，他要去的地方是那種很暗的深山。」問他怕不怕，芝芝瞪大眼睛：「我超怕啊！」也偶有男性客人一上車就提起女性遇害事件，心裡害怕，卻鎮定地端出警察局的追蹤 App，後座立刻鴉雀無聲。女性身分讓她在這份工作上遇到許多難題，但堅強的心靈讓她開朗面對，無所畏懼。

問她為何要排班到深夜，芝芝語氣略帶無奈：「白天即使是洽公人員，也都有尖峰時間，過了那個時間就不一定有人，所以排班到晚上才能平衡。」家有兩男兩女，訪談期間，她不斷談及「經濟壓力」。想陪孩子成長，也希望能有更豐厚的收入，計程車業也是平衡生活的方式。不斷在每一分每一秒找到舒適的平衡點，為自己更為了家人。

喜歡與人交流的芝芝，這份工作與人接觸的性質，也帶來不少成就感：「我最怕空氣突然安靜！」芝芝健談、開朗，和她交談的時候，絕無冷場。說起推薦苗栗景點，她的眼裡閃過一絲興奮，臉部維持理性與淺淺的微笑。從三義勝興車站，到海線零嘴名店垂坤，甚至漁港邊的彩虹橋至人山人海的通霄海水浴場……。隨著不同屬性的客人，給出不一樣的旅遊建議，這也是客人信任芝芝的原因。

從未忘記自己的原住民身分，時常惦念家鄉，芝芝也推薦匆匆來去的乘客們，有空到家鄉泰安走走。年紀大的長者可以到泰雅博物館走走，去看部落文化；帶孩子的家庭，則推薦

M
大都會

「WAKHUL」親子公園，讓孩子盡情放電，大人也能在一旁煮溫泉蛋。泰安有得天獨厚的溫泉資源，許多遊客慕名到訪，部落客通常推薦「泰安觀止」等知名飯店。芝芝卻有自己的「私房湯屋」。

「你知道警光山莊嗎？」彷彿回到兒時，與家人同遊泡湯的回憶歷歷在目。「那裡是溫泉的源頭，泡湯的水是最好的。」雖說不是大飯店的華美精緻，但純樸的裝潢，透露出素雅從容的歲月，同時散發濃濃的歷史風情，悠遠而綿長。

苗栗泰安觀光產業發達，也許你也聽說過，泰安派出所外，有一排浪漫櫻花樹，與鄰近的落羽松秘境。身為在地人的芝芝認為，人為整理的痕跡太多，攤販、人潮，讓此地眾聲喧嘩，已不復早年幽靜的秘境風光。

帶著些微的嘆息，卻也難以掩藏芝芝對家鄉的眷戀。

搭車
手
PLEASE FLAG
金

高鐵快捷公車
THSR Shuttle Bus
瑞泰
28079
TEA-7279
KKA-3026

除了故鄉泰安，轉換成客家媳婦的身分，說起道地客家菜，也一點都不馬虎。「最喜歡的當然是客家小炒啊！」經典客家料理，這道各家風味不一，每個家庭都有屬於自家的獨門口味。「說真的，外縣市的客家小炒都偏甜，真正的客家菜應該要重鹹。」唯一不變的是魷魚與肥肉混合，散發出的鹹香氣味。「一定要用三層肉！」夠肥，才能煸出足夠的油脂，泡發魷魚和蒜苗的表面浮著一層油光，端上桌，油亮色澤總能喚醒沈睡的味蕾。

「福菜肉片湯也是，酸、鹹、香。」自家上場的家常料理大致如此，和外面餐廳不同的是，「料頭」一定滿出碗盞：「像我婆家，那個料都放超多。」無論泰安或苗栗市，家裡的一景一色都讓芝芝念念不忘。

除了家常美食，苗栗市街道上也有許多令人難以忘懷的客家小食：江技舊記的餛飩、阿蘭姐水晶餃，都是常民小吃，帶出舊時農村「早起食飽」的生活型態。芝芝露出興奮的神情：「尤其是自己做的紅蔥油，啊！還有每家店都要有的『蔥醬油』，超香的！」客家媽媽大多自己用豬油，以中火慢炒紅蔥頭，製作濃郁香氣的「紅蔥油」。只要聞到濃厚的微焦香氣，就知道一家人的廚房「開工」了。蔥醬油則是將蔥花拌入鹹香醬油，「而且要用『金味王』。」可說是純、鹹、香的代表，家戶到街邊，瀰漫著醬香味。

蔥醬油拌什麼都好吃，遊客不知，但只要做到路邊街店，在炒麵、水晶餃淋上一匙，便能清楚感受到它的魅力。

苗栗市計程車擋風玻璃前，常貼著「侹講客」貼紙，意在告訴往來的客人「客

注意左右方來車

業餛飩
江
水上人家旁
P
本店將於
月 日公休
Uber
Eats
清潔
月誌
NMM 3806
611-DMH

江拔舊
區
282-LCW
BH6-821
NMK-3283
NMM-8861
MDE-6207

M
大都會
28099
高齡特約車隊

語嘛欸通」。讓客語族群能安心上車，和司機說著彼此熟悉的溝通語言。芝芝已是「資深」客家媳婦，講客語也許不太熟稔，但日常對話仍是難不倒她。

「客人常抱怨，自己的小孩已經不太會說客語了。」這是客語族群正在面臨的真實境遇，隨著下一代接連出世，非沈浸式的環境，讓語言的傳承愈加薄弱。年輕人以外，長輩大多仍用客語彼此溝通，上車也會因為前方貼紙，用客語說明自己要前往的地點，芝芝則再用客語回話。有時乘客見她五官深邃，也會詢問：「你是原住民嗎？」她笑著點頭回應，也會因此開啟與車上乘客的聊天模式。

除了客語，開朗活潑的芝芝，分享一種「加密」語言——「龍蛇話」。起源於人們為了不讓外人聽懂，刻意在每字後面加上「龍」或「蛇」音，形成獨有的對話方式。芝芝說，她和朋友之間也會用原住民語加上龍蛇話，互相打趣。芝芝當場示範，我們聽完果真一頭霧水，在親友之間成為一種說話樂趣。

客語和泰雅語並行，她說自己也沒能兩種語言都精通，但語言互相轉換之間，也標誌著族群與個人身分界線的模糊，形成一種高密度的句型變化。

有時也會不小心將兩個太像的客家讀音搞混，比如「畜生」和「出殯」，就曾險些讓她在婆家親友間鬧出大事。「後來我就不太敢講，怕再出這種包。」曾犯過的錯讓芝芝心中有些陰影，但與客人交流時，又忍不住想用對方熟悉的語言說話，以此拉近彼此的心理距離。

「要說優點的話……，車流量不會太擁擠，苗栗路很大好開。」人口密度低，地域寬廣，這是苗栗山線得天獨厚的交通狀況。不過論及觀光，芝芝不諱言，苗栗觀光缺乏整體行銷：「十八鄉鎮市都有各自的大目標，小目標比較沒落。」遊客常去的地點人盡皆知，有些特色小地方，知道的人卻寥寥可數。

「沒有整體行銷，資訊不夠流通，除了大地標以外，其他鄉鎮較缺乏大亮點。」她一向直白，也因為愛鄉愛土，所以對

此地觀光行銷方法有更多的期望。

以計程車司機身分來說，芝芝的年資尚淺。但以計程車業界而言，她已是能夠獨當一面的老手。和其他司機熟識，因此在面對考照測驗時，大哥大姐們都熱心協助，讓她能夠順利「通關」。芝芝的爽朗與聰慧帶來廣闊的好人緣，訪談期間也透露計程車一途並不容易的感慨。縱然如此，活躍於人際之間的芝芝，善於和陌生的客人搭起對話的橋樑，也在交流之中，獲得更多的樂趣，亦全心全意平衡職業、生活、經濟，等客人的時間，她也會追劇、閒逛，讓看似枯燥的載客旅程，顯得有滋有味。

這是芝芝和苗栗的故事，也期待你坐一趟高鐵，搭上她的車，聽他說一句：「今晡日愛去哪位？」

獅潭、南庄地圖

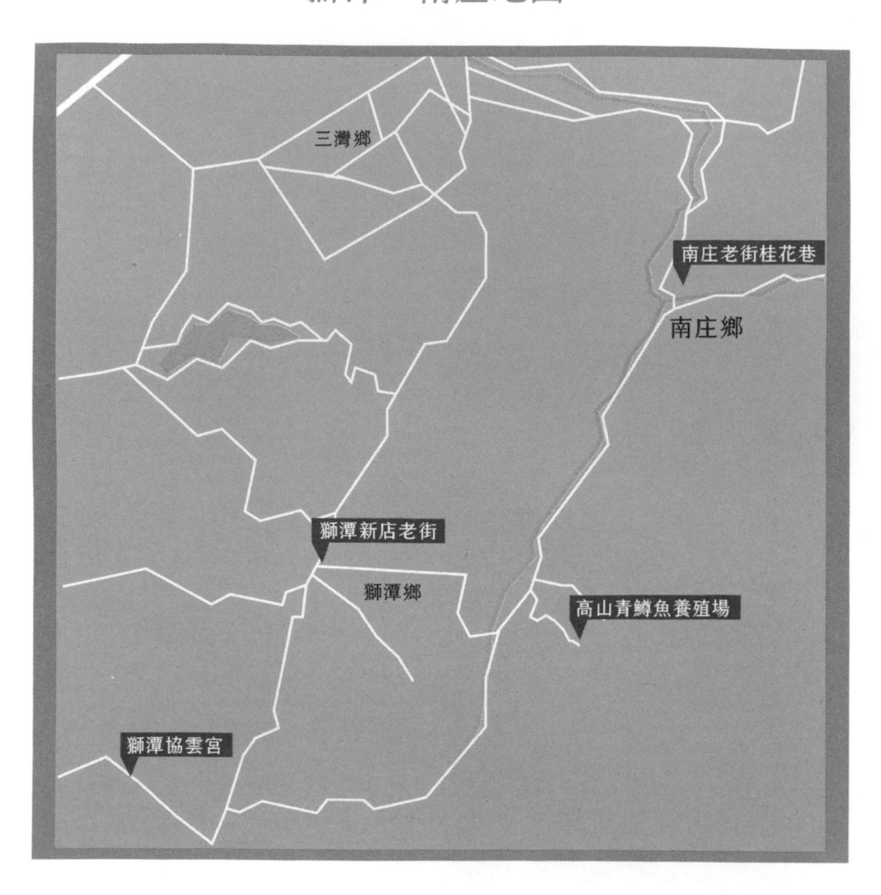

南庄老街

地　　址：苗栗縣南庄鄉中正路及一旁小巷內

緊鄰南庄遊客中心，老街又稱桂花巷，小吃美食眾多，包含豬籠粄、狗薑粽、桂花冰鎮湯圓、桂花梅、擂茶、滷豆干、客家菜等。南庄老郵局、南庄戲院等皆是老街景點。

獅潭／新店老街

地　　址：苗栗縣獅潭鄉 129號（地址為獅潭國小）

老街上的洗衫坑、新店溪護魚步道，搭配附近的賞櫻景點協雲宮，成為一處宜人的遊憩勝地。

獅潭 協雲宮

地　　址：苗栗縣獅潭鄉新豐村八角坑 34號

因傳說當地清泉水有治病能力，因此成為人們膜拜取水的聖地。依高海拔的八角崠而建，使得這裡成為風景名勝，更是賞花秘境。

高山青鱒魚養殖場

地　　址：苗栗縣南庄鄉蓬萊村 14鄰 30號

開放時間：09:00-18:00（週四公休）

位於台灣中高海拔的養殖場，養殖著鱘龍魚和鱒魚，所以餐廳內的招牌料理是新鮮現殺的烤鱒魚。向外可以眺望南庄美麗風景。

通宵、苑裡（海線）地圖

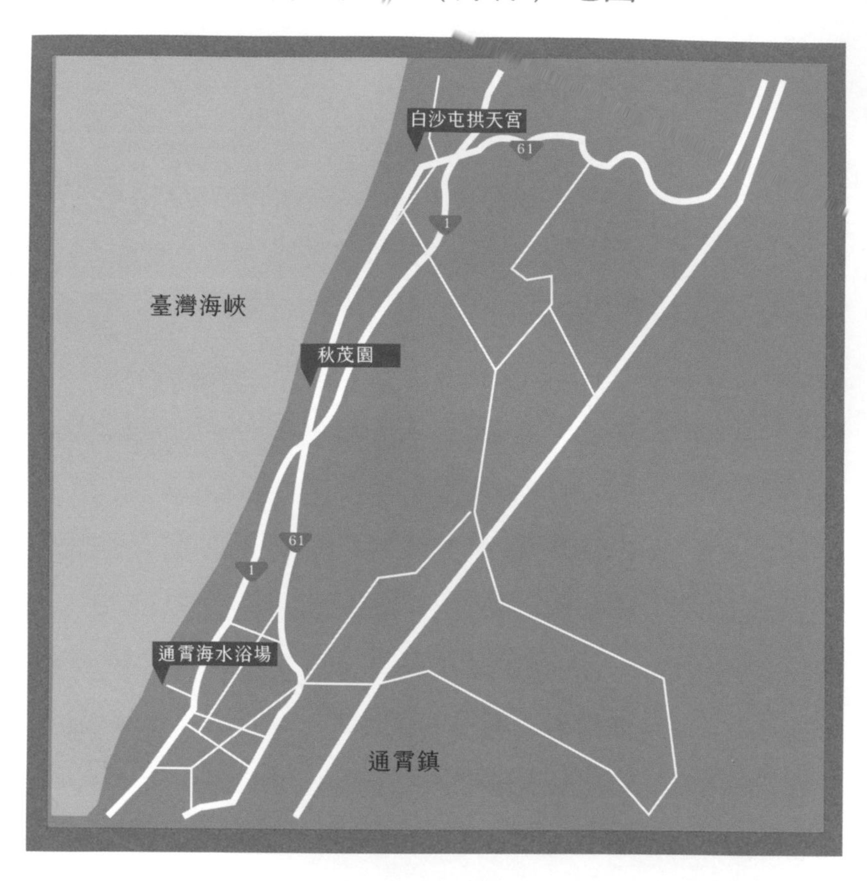

通霄海水浴場

地　　址：苗栗縣通霄鎮海濱路 41-1號

開放時間：08:00-17:00（5月 1日至 10月 31日）

曾是日據時期供日本高官度假的虎嶼浴場，如今是全台最大海水浴場。

白沙屯拱天宮

地　　址：苗栗縣通霄鎮 8號

開放時間：05:00-21:30

白沙屯聚落的信仰中心，傳說在乾隆年間，媽祖顯靈營救遇難的漁船，故於 1863年建立了土垣茅屋的聖母祠感謝媽祖並祈求平安。經多次修築與擴建，現今的拱天宮氣宇莊嚴。

飛牛牧場

地　　址：苗栗縣通霄鎮 166號

開放時間：07:00-22:00

前身是「中部青年酪農村」。1995年轉型為觀光牧場。放牧面積達 120公頃。

秋茂園

地　　址：苗栗縣通霄鎮通灣里 20-1號

開放時間：08:00-17:00

園區內造景包括十二生肖、西遊記、八仙人物、鄭成功、孔子等人物塑像，還有象徵園主童年的牛和牧童塑像。

泰安、三義（山線）地圖

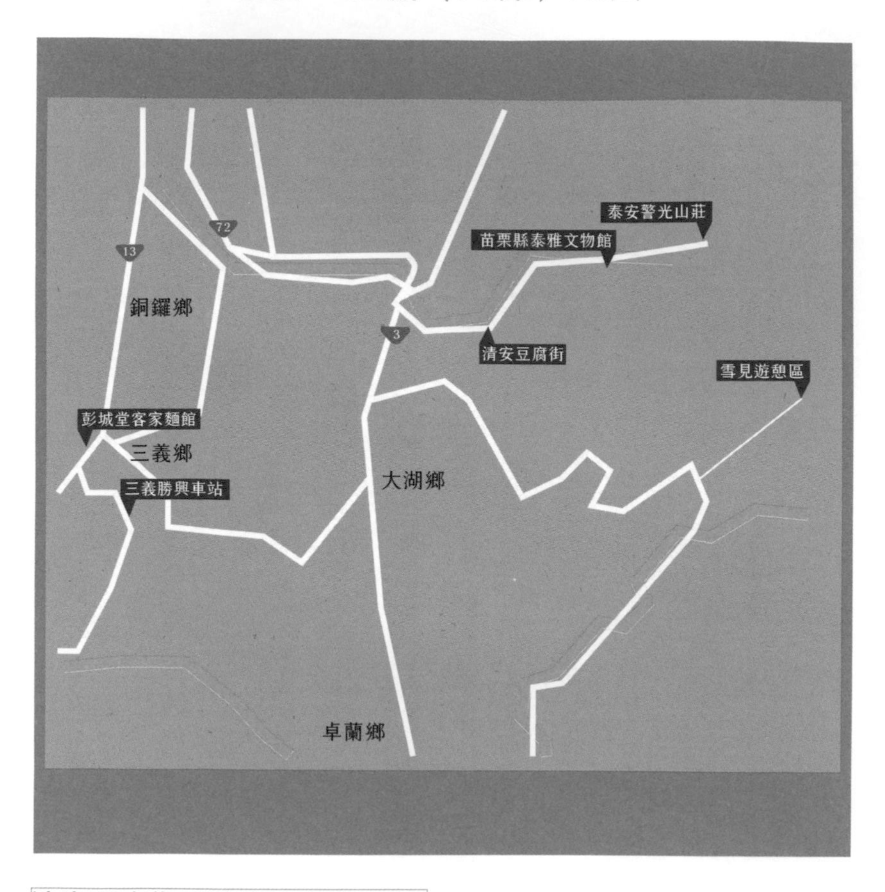

清安豆腐街（洗水坑豆腐街）

地　　址：苗栗縣泰安鄉清安村洗水坑

開放時間：10:00-17:00

又名洗水坑老街。因專賣利用當地甜甘的水質製作的手工豆腐著名，因而被稱為「豆腐街」。

雪見遊憩區

地　　址：苗栗縣泰安鄉 7鄰雪見 10號

開放時間：09:00-16:30（週一公休）

位於海拔 600至 2,600公尺間，雨水豐沛。園區北坑溪古道可眺望聖稜線，冬季時可見雪山稜線白雪，因此得名「雪見」。

苗栗縣泰雅文物館

地　　址：苗栗縣泰安鄉 46-3號

開放時間：09:00-17:00（週一公休）

為了保存和推廣泰雅文化，以文物館展示泰雅族文化風俗及歷史人文之脈絡。有溫泉煮蛋池、泡腳池設施，還有森林體驗區，可觀賞竹屋實景和螢火蟲。

泰安警光山莊

地　　址：苗栗縣泰安鄉錦水村八鄰橫龍山 18號

開放時間：08:00-17:30

1908年泰雅族人於烏嘴山溪畔山壁中偶然發現溫泉源頭。後來建立警光山莊作為員警及警政相關人員休憩使用。如今已開放給一般民眾住宿及泡湯。

彭城堂客家麵館

地　　址：苗栗縣三義鄉八股路 38-2號

開放時間：07:00-19:00（週一公休）

在地人力推的麵館，主打客家粄條與湯圓。

三義勝興車站

地　　址：苗栗縣三義鄉 83號

開放時間：08:30-17:30

1908年啟用，是台灣西部縱貫鐵路的最高點，1998年功成身退。車站月台為日式虎牙式木造建築。在台灣鐵道歷史文化上占有重要地位。

苗栗市地圖

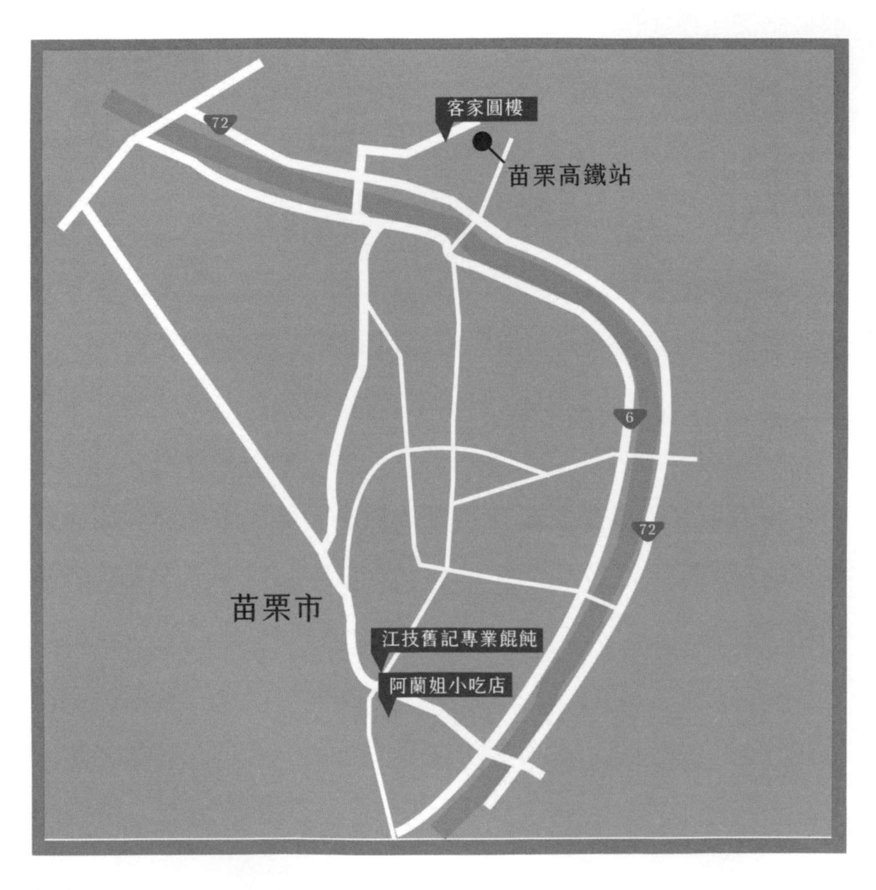

客家圓樓

地　　址：苗栗縣後龍鎮新港三路 295號

開放時間：09:00-17:00（週二公休）

高鐵特定區興建的仿福建土樓建築物，於 2014年啟用。2023年底轉型為「臺灣客家八音戲曲推廣中心」。

江技舊記專業餛飩

地　　址：苗栗縣苗栗市新苗街 88號

開放時間：10:00-20:00

創業於 1949年的客家美食老店，已傳承三代。苗栗在地人推薦的必吃美食。

阿蘭姊小吃店

地　　址：苗栗縣苗栗市新苗街 61巷 49號

開放時間：06:30-12:30

創立於 1958年，由第一代老板挑著扁擔起家，以炒麵、炒米粉、水晶餃、粉腸湯、豬血湯等小吃，深受在地人喜愛。

客語小教室

單字 / 句子	客語拼音	腔 調
過身（過世）	go siin´	四縣腔
這个仰般賣？（這個怎麼賣？）	ia` ge ngiong`ban´mai	四縣腔
恁貴（這麼貴）	an` gui	四縣腔
恁仔細（謝謝你）	an`zii` se	四縣腔
承蒙（謝謝）	siinˇmungˇ	四縣腔

後記：相忘於車潮

文 / 編輯室

從本次出版計畫中發現計程車司機普遍都很低調，有一種不太喜歡被人發現自己的職業是計程車司機的感受。也許對各個職業的人來說，可能並不覺得自己的職業與人生經歷有何故事可言，又或者沒有特別的事情為何要被報導呢？而且就計程車職業的普遍觀感，仍有許多人認為司機的素質參差不齊、開車不遵守交通規矩等負面印象。

職業本就無貴賤，實際接觸到的司機們大多翻轉了我們的想像。有的人為著生活而努力，有的人從中獲得不曾享有過的成就感，也有的人認識了新朋友，走出原本生活的侷限，不管是甚麼樣的故事與際遇，都讓我們看見有別於過往的視角，發現生活的另一個面向。

想起了知名作家約翰．伯格（John Berger，1926~2017）的著作《我們在此相遇》，提及「相遇的地點、人物、時間，因為在此相遇，而成就自我與人生。」《TaKuXi 愛去哪位》是個不斷與人相遇的小品故事集，當進入這些客語計程車司機們的車上後，也等於走進了彼此的生命旅程，同時在這也許只有10、20分鐘或半天、一天的車程中，也檢視且豐富了我們自己的生命。

語言的使用，背後實則承載了一個族群的文化。這次訪談的客語計程車司機，有人從小在客語環境中長大，有人會聽但不太會說客語，有人長大之後重新學習客語，有人不是客家人但也說得一口流利的客語，很多人的共通經驗是客語流失的擔憂，但也在和長輩以客語對話中獲得了溫暖和安慰。

在本次規劃的客語小教室中，提到的客語單字或短句雖然不多，但卻是司機們載客生活中常會說的或是有趣、特別的客家話。期待這些計程車司機的故事，不只是在書中被看見，而且可以一起親臨到這些地方，不論司機相同與否，當相遇的時候就走入了彼此的生命之中了。有這樣機會的話，還可以拿起書中的客語小教室和司機們交流、對話，相信這趟旅程會充滿了意外的趣味。

電子遊戲場
GAME WORLD
Jm HOTEL
佳華旅店
秋莊越南小吃店
休息 · 平價消費

景點索引表

桃園推薦景點／店家

新竹推薦景點 / 店家

新竹市、竹北｜

Big City遠東巨城購物中心。地址：新竹市東區中央路 229號。P164
新瓦屋客家文化保存園區。地址：新竹縣竹北市文興路一段 123號。P165
或者書店。地址：新竹縣竹北市文興路一段 123號。P165
湖口好客文創園區。地址：新竹縣湖口鄉中平路一段 510號。P166
南寮漁港。地址：新竹市北區新港四路。P166
或者新州屋。地址：新竹市東前街 16號。P166
福湯岩盤浴。地址：新竹市北區大雅路 88號 B1。P166
新竹城隍廟。地址：新竹市北區中山路 75號。P167
新竹市立動物園。地址：新竹市東區食品路 66號。P167

關西、芎林、新埔｜

曾家牛肉麵。地址：新竹縣關西鎮光復路 27號。P168
味衛佳柿餅教育農園。地址：新竹縣新埔鎮旱坑路一段 283巷 53號。P169
雲夢山丘。地址：新竹縣新埔鎮新關路五埔段 600號。P169
老鄰長粄條店。地址：新竹縣新埔鎮廣和路 3號。P169
石壁潭生態步道。地址：新竹縣芎林鄉石潭村。P169
榕樹下麵館。地址：新竹縣芎林鄉文昌街 123號。P170
美濃樓飲食店。地址：新竹縣芎林鄉文昌街 214號。P170
九芎湖步道群。地址：新竹縣新埔鎮 162號六鄰。P170
清香飲食店。地址：新竹縣關西鎮中豐路一段 422號。P170

竹東、北埔、峨嵋｜

國定古蹟金廣福公館。地址：新竹縣北埔鄉中正路 6號。P171
北埔老街。地址：新竹縣北埔鄉北埔街。P172
姜阿新洋樓。地址：新竹縣北埔鄉北埔街 10號。P172
北埔冷泉。地址：新竹縣北埔鄉外坪村。P172
竹東中央市場。地址：新竹縣竹東鎮仁愛路 360號。P172
蕭如松藝術園區。地址：新竹縣竹東鎮三民街 60號。P173
峨嵋湖畔人家。地址：新竹縣峨眉鄉湖光村十二寮 21-8 號。P173

橫山、尖石｜

合興車站。地址：新竹縣橫山鄉中山街一段 17號。P174
內灣吊橋。地址：新竹縣橫山鄉中正路 7號。P175

內灣老街。地址：新竹縣橫山鄉中山街二段。P175
劉興欽漫畫教育博物館。地址：新竹縣橫山鄉內灣村 3鄰 110號。P175
彭媽媽滷味。地址：新竹縣橫山鄉中正路 53-55號。P175
大山北月景觀餐廳。地址：新竹縣橫山鄉大山背 80號。P176
羅媽媽野薑花粽。地址：新竹縣橫山鄉內灣村中正路 89號。P176
天然谷。地址：新竹縣尖石鄉天然谷 25號。P176
數碼天空景觀餐廳。地址：新竹縣尖石鄉煤源 10鄰 145之 1號。P176
青蛙石天空步道。地址：新竹縣尖石鄉錦屏村 8鄰 27號。P177
薰衣草森林新竹尖石店。地址：新竹縣尖石鄉 129號。P177

苗栗推薦景點 / 店家

獅潭、南庄｜

南庄老街。地址：苗栗縣南庄鄉中正路及一旁小巷內。P236
獅潭 / 新店老街。地址：苗栗縣獅潭鄉 129號（地址為獅潭國小）。P237
協雲宮。地址：苗栗縣獅潭鄉新豐村八角坑 34號。P237
高山青鱒魚養殖場。地址：苗栗縣南庄鄉蓬萊村 14鄰 30號。P237

通宵、苑裡｜

通宵海水浴場。地址：苗栗縣通霄鎮海濱路 41-1號。P238
白沙屯拱天宮。地址：苗栗縣通霄鎮 8號。P239
飛牛牧場。地址：苗栗縣通霄鎮 166號。P239
秋茂園。地址：苗栗縣通霄鎮通灣里 20-1號。P239

泰安、三義｜

清安豆腐街。地址：苗栗縣泰安鄉清安村洗水坑。P240
雪見遊憩區。地址：苗栗縣泰安鄉 7鄰雪見 10號。P241
苗栗縣泰雅文物館。地址：苗栗縣泰安鄉 46-3號。P241
泰安警光山莊。地址：苗栗縣泰安鄉錦水村八鄰橫龍山 18號。P241
彭城堂客家麵館。地址：苗栗縣三義鄉八股路 38-2號。P241
勝興車站。地址：苗栗縣三義鄉 83號。P242

苗栗市｜

客家圓樓。地址：苗栗縣後龍鎮新港三路 295號。P243
江技舊記專業餛飩。地址：苗栗縣苗栗市新苗街 88號。P243
阿蘭姊小吃店。地址：苗栗縣苗栗市新苗街 61巷 49號。P243

車站

廣場內自行車請牽行
無障礙坡道

1258
從容住青埔
25-36坪
遠百竹
大都會
839
28502
27839
2488
550-6788
雙車位

橋頭老麵店
吃麵在裡面
裡面在吃麵
每週二放假
開店時間早10点
到
午6点

TaKuXi愛去哪位 客語計程車私房旅遊書

總 編 輯　周得豪
前期企劃　陳泯君
語言顧問　何石松、邱一帆
採訪撰稿　張簡敏希、羅亭雅、江怡瑄
資料彙整　郭恩惠、李宥萱、鄭育雯
行銷企劃　高芸珮
攝 影 師　林琬渝

發 行 人　周得豪
出版發行　聚場文化有限公司
地　　址　106臺北市大安區羅斯福路三段 77號 5樓
電　　話　(02)2508-1200
電子信箱　service_1@gather-tlb.com

總 經 銷　大和書報圖書股份有限公司
地　　址　242新北市新莊區五工五路 2 號
電　　話　(02)8990-2588
印　　刷　中原造像股份有限公司
出版日期　2024年 4月初版一刷
定　　價　新台幣 420元
I S B N　978-626-95851-6-8

本出版品獲（112年）文化部「語言友善環境及創作應用與推廣計畫」補助